selbst ist der Mann

Vielseitige Möbel für das Kinderzimmer

Das Heimwerkerbuch mit vielen farbigen Abbildungen

MOEWIG

Verlagsunion Erich Pabel-Arthur Moewig KG, Rastatt

4. Auflage

Originalausgabe

Redaktion: Gerrit Wöckener
Umschlagentwurf und -gestaltung: Werbeagentur Zeuner, Ettlingen
Umschlagfotos: Caparol-Farben
Auslieferung in Österreich:
Pressegroßvertrieb Salzburg Gesellschaft m. b. H., Niederalm 300, A-5081 Anif
Printed in Germany 1991
Druck und Bindung: Mohndruck
Graphische Betriebe GmbH, Gütersloh
ISBN 3-8118-8338-0

Inhalt

Den Mantel an die Wolke hängen

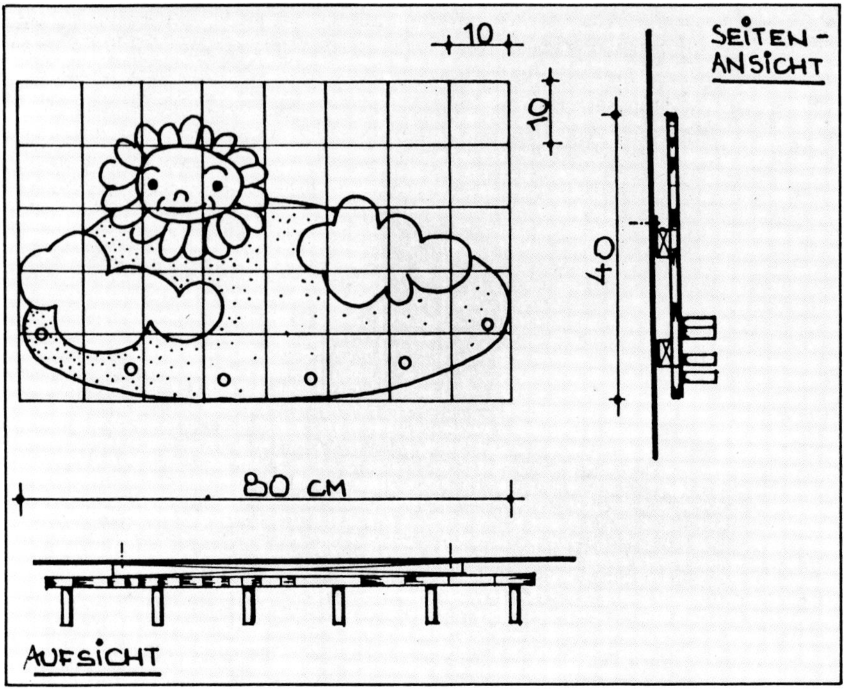

Lustige Kindergarderoben sind sehr beliebt, weil die Kleinen hier in spielerischer Art und Weise Ordnung halten lernen. Darüber hinaus sind originelle Kindergarderoben preisgünstig und ohne großen Aufwand nachzubauen.

Die Grundform unserer Wolken-Garderobe entsteht aus einer Spanodur-Platte, die sich einfach bearbeiten läßt. Die Konturen der Garderobenform können mit Hilfe eines 10 × 10 cm großen Rasters von der Konstruktionszeichnung übernommen und mit einer Stichsäge ausgeschnitten werden.

Die Kleiderhaken bestehen aus sieben Zentimeter langen Holzdübeln, für die mit einem 12-mm-Bohrer Löcher in die Holzplatte eingebracht werden. Die Bohrungen sollen schräg geführt sein, damit die Kleiderhaken später etwas nach oben stehen. Das verhindert, daß Kleidungsstücke zu leicht herunterrutschen. Die Holzdübel werden mit Weißleim in der Platte fixiert.

Die farbliche Gestaltung der lustigen Kindergarderobe ist nicht schwer. Bei den bereits ab Werk grundierfolienbeschichteten Spanodur-Platten ist ein Voranstrich als Grundierung nicht mehr notwendig. Lediglich die Schnittkanten sollten verspachtelt und geschliffen werden, was zum einen die unterschiedliche Saugfähigkeit reguliert und zum anderen einheitlich aussehende Flächen schafft. Ist die Verspachtelung trocken und geschliffen, kann mit der Lackierung begonnen werden. Die Grundfarbe haben wir aus wasserhaltigem Lack in den Farbtönen Lichtgrau und Enzianblau im Verhältnis 1 : 1 ausgemischt und mit einem breiten Kunststoffpinsel zweimal aufgetragen. Wenn der blaue Farbton trocken ist,

kann man bereits mit Weiß die Wolken und mit Gelb die Sonne aufmalen. Die Konturen können später mit einem feinen Pinsel nachgezogen werden, um eine möglichst plastische Wirkung zu erhalten.
Was jetzt noch fehlt, ist eine einfach herzustellende Aufhängung der Kindergarderobe. Auf der Rückseite lassen sich zum Beispiel zwei 18 × 38 mm starke gehobelte Dachlatten anleimen, die 57 cm lang sind. Diese Latten gibt es fertig im Baumarkt. An der oberen Leiste lassen sich noch zwei Ösen anbringen, mit deren Hilfe die Garderobe an der Wand befestigt werden kann.

Materialliste

Pos.	Anz.	Bezeichnung	Maße in mm	Material
1	1	Platte	800 × 450	Spanodur 13 mm dick
2	2	Leisten	570 lang	gehob. Dachl. 13 × 38 mm

6 Holzdübel 70 mm lang, 12 mm stark; Weißleim; Acryllack.

Nachdem die Konturen der Wolke mit Hilfe eines Rasters (Kantenlänge der Quadrate 10 cm) und der Konstruktionszeichnung auf die Platte übertragen worden sind, erfolgt das Ausschneiden mit der Stichsäge.

Die Bohrungen für die Holzdübel, die als Garderobenhaken dienen sollen, müssen so ausgeführt werden, daß die Dübel leicht nach oben geneigt eingeleimt werden können.

Zum Verleimen der Haken nimmt man weißen Holzleim, der sowohl am Dübel selbst als auch im Dübelloch verteilt werden muß.

Erst wenn der Blauton trocken ist, sollte mit dem Ausmalen der Sonne und der Wolken begonnen werden. Die einzelnen Konturen lassen sich später mit einem feinen Pinsel nachziehen.

Stauraum unterm Spielplatz

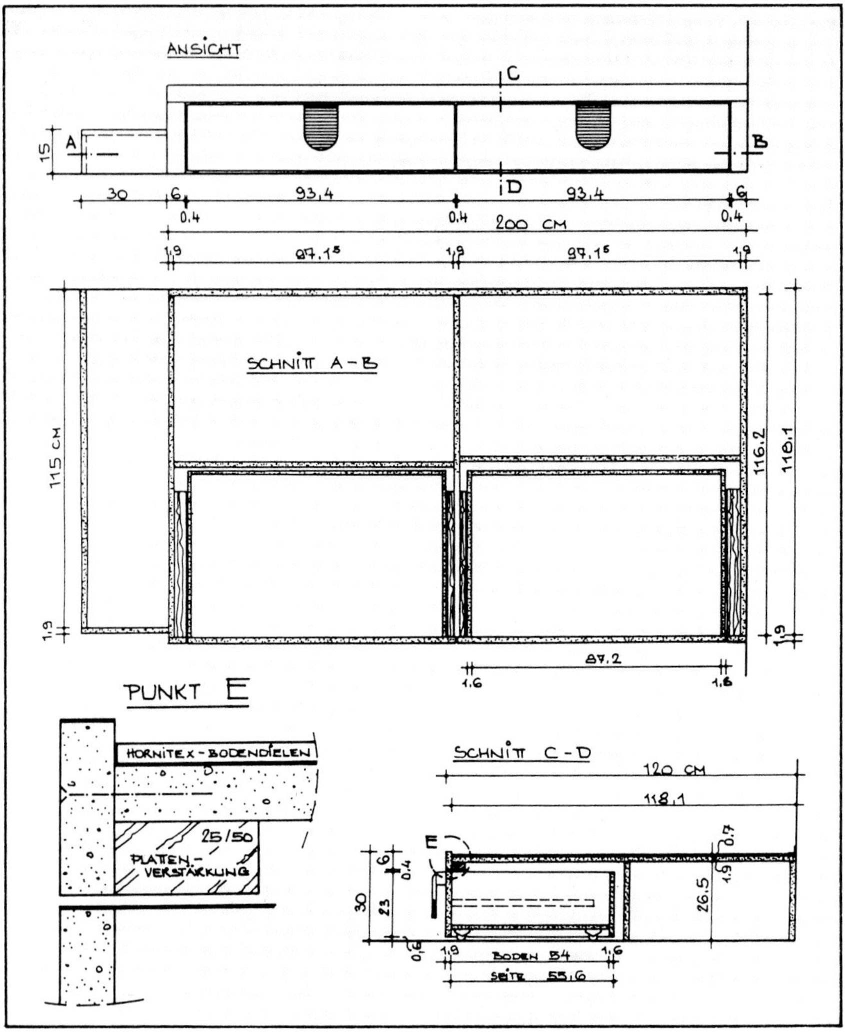

Unterschiedlich hohe Wohnebenen unterteilen Räume in verschiedene Bereiche, ohne sie in ihrer Größe zu begrenzen. Die optische Größe geht dabei nicht verloren. Unter der erhöhten Spielfläche lassen sich zusätzlich zwei große Staufächer planen, die Spielsachen, Decken, Kissen platzsparend aufnehmen können. Das Podest ist in seinen Maßen variabel. Es ist durchaus möglich, die Grundfläche individuell den Raummaßen anzugleichen, jedoch sollte gegebenenfalls auch die Anzahl der Staufächer erweitert werden, da sich sonst die Deckplatte durch die Belastung verbiegen kann.

Die Unterkonstruktion, in der sich die beiden Rollkästen befinden, stützt die gesamte erhöhte Wohnfläche ab, so daß sie sich beim Betreten nicht durchbiegt.

An die 2000 × 265 mm große Rückplatte lassen sich rechts und links die beiden 1162 × 265 mm großen Seitenteile mühelos anschrauben. Eine Platte mit denselben Maßen wird mittig zwischen die beiden Außenwände eingesetzt.

Am Unterbau fehlen jetzt noch die Querverstrebungen und die Eckleisten an der Vorderseite. Die Verstrebungen, die quer mittig in den Unterbau eingesetzt werden, bestehen aus 971 × 265 mm großen Spanoplan-Platten. Es ist möglich, eine der beiden Platten etwas zu versetzen, um so jeweils durch die Mittelplatte und die Außenwand der Unterkonstruktion Schrauben in die Stirnseiten der Verstrebungen eindrehen zu können. Die beiden Eckleisten bestehen aus 240 × 60 mm großen Brettchen und werden mit Holzleim befestigt.

Bevor die Deckplatte aufgelegt wird, sollten noch die Leisten montiert werden, an denen später die Rollkästen ihre Führung finden. Pro Kasten ist eine 20 × 40 mm sowie eine 20 × 20 mm starke Massivholzleiste (500 mm lang) notwendig. Die breitere der Leisten wird mit Holzleim an der Außenwand festgeleimt, um so den größeren Abstand auszugleichen, der durch die brei-

Materialliste

Pos.	Anz.	Bezeichnung	Maße in mm	Material
1	1	Wandteil	2000 × 265	
2	3	Querteile	1162 × 265	
3	2	Mittelteile	971 × 265	
4	1	vordere Blende	2000 × 60	
5	2	senkr. Eckblenden	240 × 60	Spanoplan
6	1	Deckplatte	2000 × 1181	19 mm dick
7	1	Stufe (Auftritt)	1150 × 300	
8	1	senkr. Stufe	1150 × 131	
9	1	Stufenseite	300 × 150	
10	2	Rollkasten-Fronten	934 × 230	
11	4	Rollkasten-Seiten	556 × 230	
12	2	Rollkasten-Rückseiten	872 × 230	Spanodur
13	2	Rollkasten-Böden	872 × 540	16 mm dick
14	2	Führungsleisten	500 lang	massiv 20 × 20 mm
15	2	Führungsleisten	500 lang	massiv 20 × 40 mm
16	2	Griffe	150 × 120	Sperrholz 10 mm dick
17	2	Griffleisten	120 lang	massiv 30 × 50 mm
18	1	Deckplattenverstärk.	1962 lang	Hartholz 20 × 50 mm

Bodendielen in Esche für die Fläche 2000 × 1181 mm, 6,7 mm stark; 8 Laufrollen; Holzleim; Seidenglanzlack.

teren Eckleisten entsteht. Diese Leisten sollten sicherheitshalber noch mit Holzschrauben fixiert werden.
Mit Holzleim wird die Deckplatte auf dem Unterbau fixiert. Was jetzt noch am Rohbau fehlt, ist die vordere Blende, die auf die niedrigeren vorderen Eckleisten aufgesetzt wird; sie steht nach oben hin etwas über. Unter die vordere Kante der Deckplatte wird eine 20 × 50 mm starke Hartholzleiste geleimt, die ein Durchbiegen der Bodenplatte beim Betreten verhindert.
Nun zu den Rollkästen: Zunächst wird an die Kastenrückwand erst einmal eine Kastenseite geleimt. Erst wenn der Kastenboden eingesetzt ist, kann man die zweite Kastenseite einleimen. Zum Schluß wird die 934 × 230 mm große Frontplatte aus Spanoplan mit Weißleim und Holzschrauben montiert. Die Schraubenköpfe sollten versenkt, verspachtelt und verschliffen werden.

Die erhöhte Wohnfläche belegten wir mit Hornitex Super-Flooring Bodendielen in Esche (Typ N 303). Das Verlegen solcher Dielen ist besonders einfach, da sie mit einem umlaufenden Nut- und Feder-Profil ausgestattet sind. Einige Tropfen Leim auf die Feder sorgen beim Zusammenschieben einzelner Dielen für dauerhaften Halt.
Bevor mit der Lackierung begonnen wird, muß noch die Trittstufe zusammengebaut werden. Der Auftritt wird mit der senkrechten Stufenplatte (1150 × 131 mm) durch Holzleim verbunden. Zur Verstärkung wird an der rechten Seite noch eine 300 × 150 mm große Wand eingesetzt. Sie verleiht der Stufe zusätzliche Stabilität. Jetzt ist es möglich, die gesamte Trittstufe an dem Podest mit Schrauben zu befestigen.
Für die Oberflächenbehandlung der Platten ist ein Anstrich mit Seidenglanzlack auf Acrylbasis gut geeignet.

Die Montage des Untergestells: Die Eckverbindungen werden stumpf verleimt und verschraubt. Hier wird gerade die hintere Wand der Schubkastenöffnung angeschraubt, die um eine Plattenstärke nach hinten versetzt wird, um das Anschrauben zu ermöglichen. Das Maß der entstehenden „Kästen“ wurde so gewählt, daß sich die Deckplatte auch bei starker Belastung nicht wesentlich bewegt, also nicht etwa durchhängt.

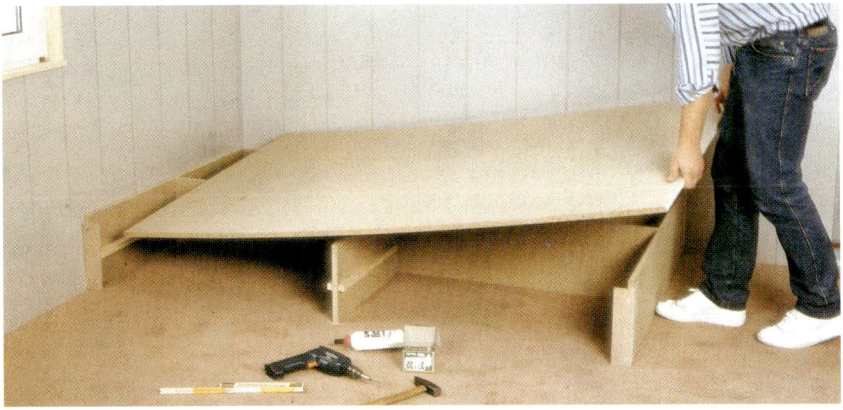

Jetzt kommt die Platte auf das Untergestell. Gut zu erkennen: die Führungsleisten für die Schubladen, die sich auf Rädern bewegen und den seitlichen Halt durch diese Leisten bekommen.

Auf der Deckplatte kann man später ganz unterschiedliche Beläge verlegen. Bei der Auswahl, die ganz nach Ihrem Geschmack ausfällt, sind Sie Ihr eigener Innenarchitekt.

Auch die Verbindungen der beiden Rollkästen erfolgen stumpf mit Leim und Schrauben. Hier wird beim linken Kasten gerade die Frontplatte montiert. In jedem Fall empfiehlt es sich, die Schrauben sorgfältig zu versenken und anschließend die Löcher gut zu verspachteln. Zu leicht könnten andernfalls Gefahrenquellen entstehen, ganz abgesehen davon, daß die Schraubenköpfe auf den Vorderseiten der Kästen nicht gerade eine Zier sind.

Die Deckleiste wird angeleimt und verschraubt. Sie sollte so breit sein, daß sie den Belag verdeckt, der auf dem Podest verlegt werden soll. Allerdings darf sie auch nicht zu weit hochstehen, damit gefährliche Stolperkanten vermieden werden. Außerdem bestünde die Gefahr, daß die Kante nach kurzer Zeit heruntergetreten würde.

Hier wird der eigentliche Bodenbelag auf das Podest aufgebracht. In unserem Fall sind es Eschen-Bodendielen. Diese Dielen sind nur 6,7 mm stark und dennoch ziemlich robust. Das Verlegen ist vergleichsweise einfach, weil die Bretter mit einem umlaufenden Nut-Feder-Profil versehen sind. Ein paar Tropfen Leim sorgen für den nötigen Halt.

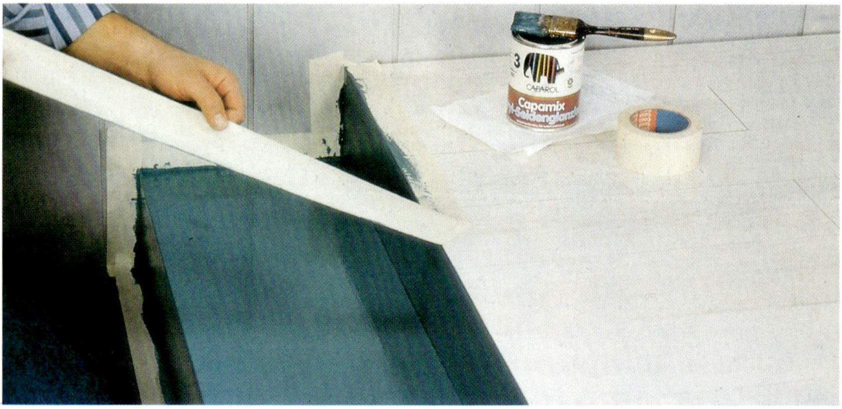

Zum Schluß kommen die Lackarbeiten an die Reihe. Wichtig dabei: das Abkleben der Flächen, die keine Farbe abbekommen sollen. Dafür empfiehlt sich tesakrepp, das zwar fest genug klebt, um die Farbe „abzuwehren", sich aber andererseits doch wieder gut abziehen läßt. Und damit steht Ihr Spielplatz mit einer ganzen Menge Stauraum im „Bauch".

Kindermöbel fürs Bad

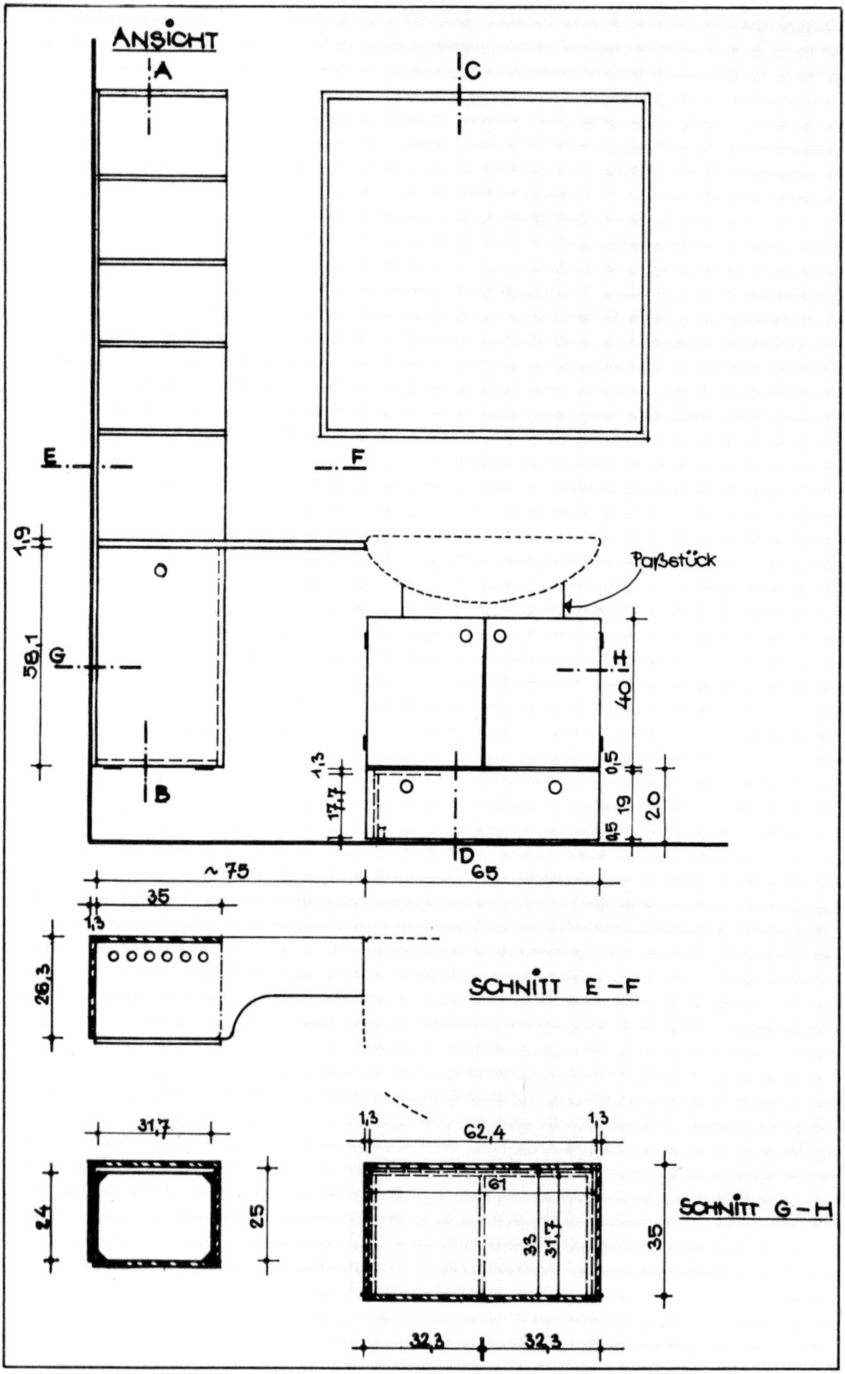
ANSICHT
A
B
C
D
E
F
G
H
Paßstück
1,9
58,1
40
0,5
1,3
17,7
19
20
0,5
~75
65
35
1,3
26,3
SCHNITT E – F
31,7
24
25
1,3
62,4
1,3
61
33
31,7
35
SCHNITT G – H
32,3
32,3

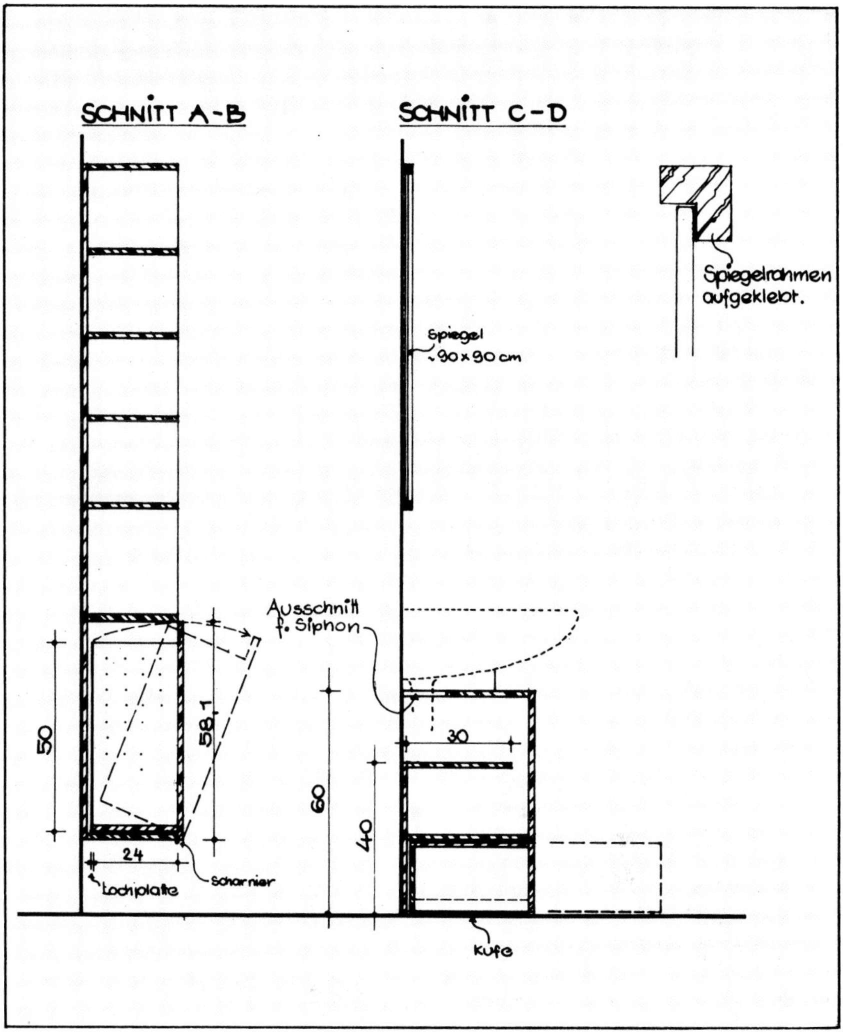

Badezimmer sind fast ausschließlich für Erwachsene konzipiert. Unsere jüngsten und jungen Mitbürger müssen sich mit Zehenspitzen oder Hokkern erst einmal auf die richtige Höhe bringen, um Waschbecken und Armaturen überhaupt erreichen zu können. Hier nun ein maßgeschneiderter Unterschrank, der mit einem ausziehbaren Bodenteil ausgestattet ist, das den Kleinen als sichere Standfläche dienen soll. Und da wir nun mal beim Entwerfen waren, haben wir uns auch gleich noch ein zum Unterschrank passendes Eckregal einfallen lassen.

Um sowohl das Eckregal als auch den Waschtisch-Unterschrank nachzubauen, müssen zunächst die benötigten Holzteile nach den Maßangaben der Materialliste aus Span- oder Tischlerplatte maßgerecht zugeschnitten werden. Im Heimwerker-Fachhandel ist es möglich, sich die Einzelteile gleich nach den entsprechenden Maßangaben passend zurechtsägen zu lassen. Danach werden alle später sichtbaren Schnittkanten mit weißem Kunststoff-Umleimer ausgestattet. Solche Umleimer besitzen einen Schmelzkleber und lassen sich mit einem Bügeleisen aufkleben. Die überstehenden Kanten des Umleimers werden mit nicht zu grobem Schleifpapier entfernt.

Zum Montieren der Einzelteile reichen Holzschrauben und Holzleim aus. Zunächst werden die quadratischen Regalböden an einer Seite des Eckregals befestigt, nachdem zuvor entsprechend den Maßangaben der Konstruktionszeichnung die richtige Plazierung der Zwischenböden angezeichnet wurde. Anschließend wird die zweite Regalseite angebracht – ebenfalls wieder mit selbstschneidenden Holzschrauben und Weißleim. Besonders einfach ist dabei das Verschrauben der Einzelteile mit einem Akku-Schrauber.

Der Wäschekorb läßt sich aus dem Regal herausklappen und wird aus Lochplatten und Hartfaserteilen hergestellt. Damit er beim Ausklappen nicht herausfällt, wird er an beiden Seiten durch zwei kurze Kettenstücke fixiert, die sowohl an der Rückwand des Regals als auch an der Rückwand des Wäschekorbs angebracht werden.

Es folgt der Zusammenbau des Waschtisch-Unterschrankes. Auch hier wird zunächst mit dem Zusammenschrauben der Regalböden, mit den Seitenteilen und der Rückwand begonnen. Die beiden Türen werden mit Klavierband oder Scharnieren angebracht. Nun kann der Schrank unter den Waschtisch geschoben und nachgemessen werden, welche Form das vordere und die beiden seitlichen Anpaßstücke haben sollten, mit denen das Schränkchen der Unterseite des Waschtischs entsprechend ausgeformt wird. Es reicht aus, diesen Aufsatz einfach nur mit Holzleim an der Oberseite des Unterschrankes zu befestigen.

Um das ausziehbare Bodenteil herzustellen, werden auch hier zunächst die Einzelteile wieder mit Holzleim und Schrauben fest miteinander verbunden. Außerdem werden die Verstärkungsleisten eingeleimt und verschraubt sowie zusätzlich zwei als „Kufen“ dienende Massivholzleisten, auf denen sich das Bodenteil leicht hin- und herbewegen läßt. Griffe werden übrigens sowohl für die Wäschekorbvorderseite des Eckregals als auch für die Schranktüren und das ausziehbare Bodenteil nicht benötigt. Hier reicht es aus, mit einem 20-mm-Holzbohrer, der am besten in einem Tischbohrständer eingespannt ist, entsprechende Grifflöcher auszuführen. Es folgt das Lackieren aller Holzflächen in den gewünschten Farbtönen. Dabei lassen sich sowohl Ton-in-Ton-Gestaltungen, die dem Farbton der Wandfliesen entsprechen, einsetzen als auch Akzentfarben wählen, die zu den Wand- und Bodenfliesen einen attraktiven optischen Kontrast bilden. Besonders dekorativ wirkt das Eckregal, wenn die Flächen der Zwischenböden in einem anderen Farbton als die Rückwände und sichtbaren Kanten gehalten werden. Derselbe Farbton läßt sich dann auch wieder für die Gestaltung der Türen und der Wäschekorbvorderseite einsetzen.

Alle Flächen sollten zweimal lackiert werden. Gut geeignet hierfür ist Kunstharzlack, den es in praktisch allen gewünschten Farbtönen hochglänzend oder seidenmatt gibt. Der Kunstharzlack trocknet schnell und ergibt strapazierfähige Oberflächen, denen die zeitweise im Bad vorherrschende Naß- und Feuchtigkeitsbelastung nichts ausmacht.

Materialliste

Pos.	Anz.	Bezeichnung	Maße in mm	Material
1	1	Rückwand	1800 × 350	
2	1	Rückwand	1800 × 263	
3	5	Böden	350 × 250	Tischler- o.
4	1	unterer Boden	337 × 250	Spanplatte
5	1	Seitenteil	581 × 250	13 mm dick
6	1	Klappe	581 × 350	
7	1	Klappenboden	317 × 240	
8	1	Regalplatte	75 × 263	Tischler- o. Spanpl. 19 mm
9	2	Wäschekorb-Seitenteile	500 × 244	Lochplatte
10	1	Wäschekorb-Rückwand	500 × 317	Hartfaser (weiß)
11	4	Wäschekorb-Eckleisten	487 lang	Dreieckleisten 20 × 20 mm
		Waschtisch-Unterschrank fürs Bad:		
1	2	Seitenteile	600 × 350	
2	1	Platte	624 × 350	
3	1	unterer Boden	624 × 337	
4	1	mittlerer Boden	624 × 300	
5	1	Rückwand	624 × 400	
6	1	Auszugsplatte	610 × 330	Tischler- o.
7	1	Auszugsplatte	610 × 177	Spanplatte
8	3	Auszug-Seitent.	317 × 177	13 mm dick
9	1	Anpaßstück (je nach Waschtisch)	ca. 450 × 120	
10	2	Anpaßstücke (je nach Waschtisch)	ca. 250 × 120	
11	2	Schranktüren	400 × 323	Tischler- o.
12	1	Auszug-Vorderteil	648 × 190	Spanplatte 16 mm dick
13	2	Kufenteile	317 lang	Buche oder Fichte 20 × 40

3 Paar Scharniere; 2 Magnetschnäpper; Kantenumleimer; Holzschrauben; Holzleim; Holzgrund; Lackfarbtöne.

Zunächst schneidet man sich das gesamte Material nach unserer Liste zurecht. Wer die entsprechenden Maschinen nicht besitzt, kann sich das Holz in seinem Heimwerkermarkt genau herrichten lassen. Die Schweifsäge empfiehlt sich vor allem für das Verbindungsbrett zwischen Regal und Waschbecken (vgl. Zeichnung Schnitt E – F); eventuelle Unebenheiten müssen dann noch mit Schleifklotz und Schleifpapier oder einer Holzfeile geglättet werden.

Die rohen Plattenkanten werden mit weißen Umleimern versehen. Diese sind mit einem Schmelzkleber ausgestattet und können regelrecht aufgebügelt werden. Die Umleimer sollten deutlich breiter als die Brettstärke sein, weil sich sonst beim Aufbügeln die geringste Verschiebung so auswirkt, daß die Kante nicht mehr voll bedeckt wird. Überstehende Kanten lassen sich leicht mit Schleifklotz und Schleifpapier entfernen. Der Schleifklotz wird dabei etwa im Winkel von 45 Grad zum Umleimer gehalten.

Die ersten Zwischenböden und die Deckplatte des Regals wurden schon mit einer Seite verschraubt. Bevor nun die andere Seite montiert wird, müssen natürlich die Winkel stimmen, was hier gerade überprüft wird. Jetzt lassen sich die Böden noch leicht in die richtige Position drücken – wenn die andere Platte erst einmal sitzt, ist da kaum noch was zu machen.

Und jetzt ist die andere Seite dran. Gerade beim Verleimen, wenn es schnell gehen muß, weil der Weißleim doch ziemlich rasch anfängt abzubinden, tut ein Bohrschrauber oder eine entsprechend ausgestattete Bohrmaschine gute Dienste. Auf dem Foto ist deutlich das große untere Fach zu erkennen, das den Wäschekorb aufnehmen wird.

Die Montage des Waschbecken-Unterschrankes wird genauso vorgenommen wie die des Regals. Das untere Fach dient als herausziehbare Stufe.

Hier wird die Stufe gerade verleimt. Der Steg in der Mitte sorgt für die erforderliche Stabilität.

Mit einem 20-mm-Bohrer werden die Grifflöcher in die Türen und den Stufenauszug gebohrt. Der Bohrständer sorgt für exakt senkrechtes Arbeiten und ist damit eine beträchtliche Hilfe.

Und nun ist die Oberflächenbehandlung an der Reihe. Das Badezimmerklima verlangt eine Farbe, die sowohl Feuchtigkeitseinflüsse als auch Temperaturschwankungen aushält, ohne unansehnlich zu werden. Wählen Sie einen Kunstharzlack.

Was steckt hinterm Clown?

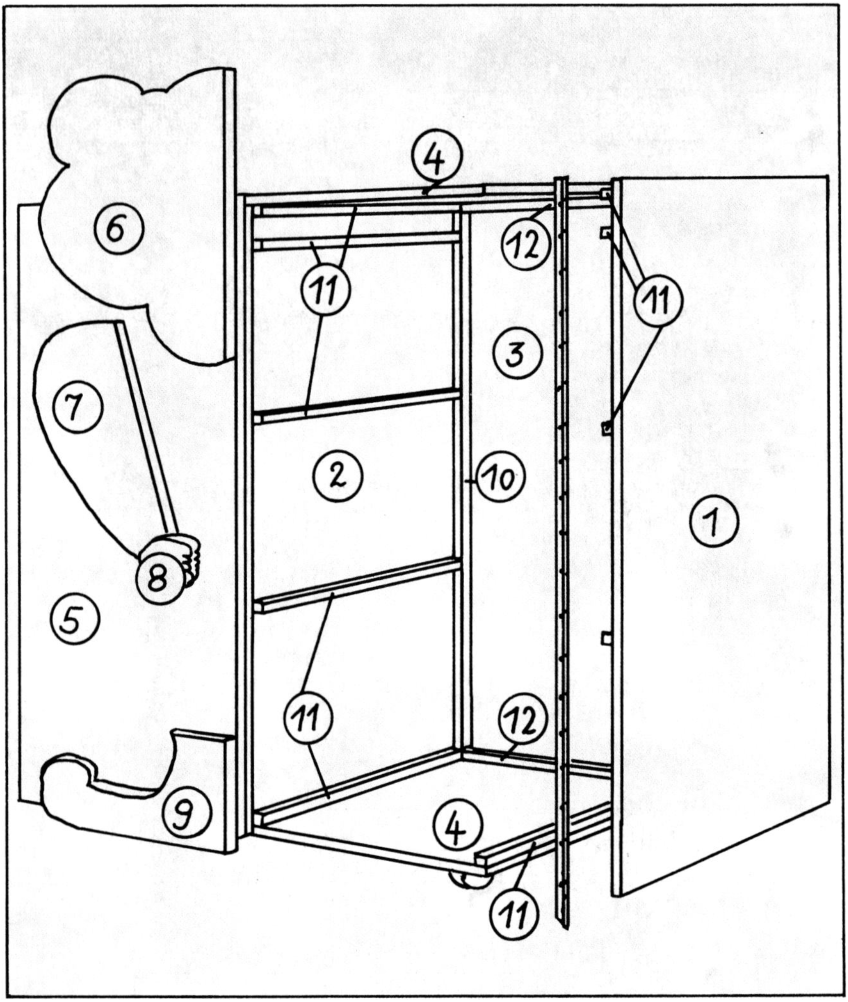

Unsere Zeichnung läßt erkennen, wie einfach der Zusammenbau des rollenden Kinderzimmerschrankes ist. Wir verwendeten für den Bau Spanplatten und Leimholz, 16 bzw. 19/20 mm dick.

Ratlose Mütter, die tagaus tagein mit ihren Sprößlingen immer wieder den gleichen Kampf ums Aufräumen führen, können jetzt aufatmen, denn mit unserem wunderbaren Clown-Schrank fürs Kinderzimmer dürfte das Problem ein für allemal erledigt sein. Sie müssen ihn nur noch anfertigen. Doch das ist gar nicht so schwierig, wie es auf den ersten Blick vielleicht aussieht.

Um den Schrank zu bauen, benötigen Sie 16 mm dicke Spanplatte für den Korpus und 19/20 mm dickes Leimholz für die aufgeschraubten Körperteile. Als „Innenleben“ benötigen Sie sechs

Euroboxen von Rubbermaid (Artikelnummer 0965), die es im Fachhandel gibt. Alle Boxen – acht Farben stehen zur Auswahl – haben einen umlaufenden doppelten Rand. So kann man sie später leicht auf die 14 × 14-mm-Vierkantleisten im Schrank schieben.
Zuerst verbinden Sie alle Korpusteile miteinander und schrauben anschließend die Vierkantleisten gemäß unserer Zeichnung an. Dem Foto auf S. 25 entsprechend tragen Sie nun die Konturen der beiden Kopfteile, der Hand, des Arms und Fußes auf das Leimholz auf und schneiden die Teile – die drei letztgenannten je zweimal – aus.
Wenn die Türen fix und fertig gestrichen sind, sollten sie gut durchtrocknen, denn im Anschluß daran muß das „Hosenbein" mit wasserfestem Filzstift auf die Türen aufgetragen werden – einmal von rechts, einmal von links. Dabei sollten Sie darauf achten, daß die Hose mittig sitzt und der Anschluß zu den Schuhen genau paßt. Nun können Sie munter mit dem Ausmalen der Clownhosen beginnen. Nachdem auch alle losen Körperteile lackiert und getrocknet sind, werden zuerst die Arme und der Kopf in der richtigen Position auf die Türen gelegt. Dann den Sitz dieser Teile markieren und sie erst einmal wieder zur Seite legen. Nun können Sie dem kleinen Kerl endlich mit Pinsel und Farbe sein „Hemdchen" anziehen. Dann verschraubt man die Händchen, die später als Griffe fungieren, von hinten mit den Armen.
Von hinten durch die Tür hindurch befestigt man Kopfteile und Arme mit Spanplatten-Schrauben. Zum Schluß erhält der Clown seine Riesengaloschen, die so angebracht werden, daß sie den Abschluß der Hose und auch die Möbelrollen halb verdecken. Die Schraubenköpfe auf den Innenseiten der Türen sollten Sie immer versenken, die Löcher ausspachteln, schleifen und überstreichen.
Nun ist der hübsche Clown-Schrank komplett – bis auf die kunterbunten Schubkästen, die sich ganz einfach auf

Materialliste

Pos.	Anz.	Bezeichnung	Maße in mm	Material
1	2	Seitenwände	1030 × 476	Spanplatte 16 mm dick
2	1	Trennwand	998 × 460	
3	1	Rückwand	998 × 736	
4	2	Böden	736 × 476	
5	2	Türen	1030 × 382	
6	1	Kopf	505 × 431	Leimholz 19/20 mm
7	2	Arme	394 × 200	
8	2	Hände	105 × 83	
9	2	Füße	344 × 174	
10	4	Längsleisten	998 lang	Fichte 14 × 14 mm
11	20	Trägerleisten	446 lang	
12	4	Querleisten	332 lang	

4 Möbelrollen; 2 × Klavierband, je 1025 mm lang; 6 Euroboxen; Spanplatten-Schrauben; 2 Magnet-Schnäpper.

die Vierkantleisten schieben lassen. Und wenn die kleinen Racker nun eine Kiste mit Spielzeug unbedingt in den Garten oder in einen anderen Raum tragen müssen, so ist das kein Problem, weil die Euroboxen auf beiden Seiten Grifflöcher haben und sich so ganz bequem transportieren lassen.

Keine Fächer, sondern sechs herausnehmbare Plastikboxen sorgen für Ordnung. Das Schrankfach kann also komplett mitgenommen werden. Gut zu erkennen: die Leisten, auf denen die Kästen ruhen. Alle Verbindungen werden unter Leimangabe stumpf verschraubt. Die Schraubköpfe werden versenkt.

Bett für kleine Kapitäne

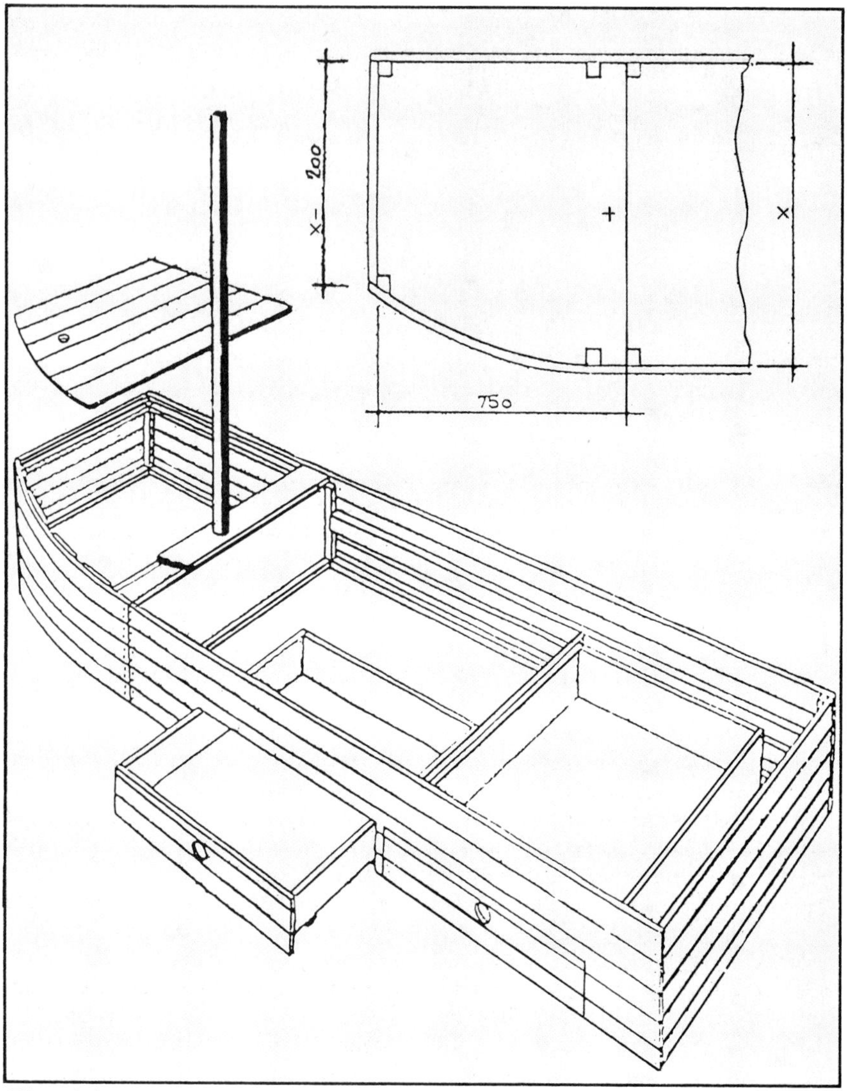

Eine einfache Kastenkonstruktion: Boden, Querversteifung und Schubladen bestehen – bis auf deren Fronten – aus 16 mm starker Spanplatte. Pfosten, Boden- und Auflageleisten für den Deckel sind 14-mm-Kanthölzer. Die Auflageleisten für den Lattenrost messen 40 × 80 mm. Den Mast bildet ein Rundholz von 60 mm Durchmesser, die Länge richtet sich nach der Höhe des Kinderzimmers. Die Wandteile des Kastens, auch die beiden innen am Mast liegenden, bestehen aus verleimten und auf Maß gesägten Nut- und Federbrettern.

Die Detailzeichnung zeigt das „spitz" zulaufende Ende des Bettkastens. × ist dabei das von Ihnen gewählte Breiten-Innenmaß, das Ihrem Lattenrost plus einer Zugabe von 10 mm auf jeder Seite entsprechen sollte. Dieses Maß verringert sich über eine Länge von 750 mm um 200 mm. Sie können auch sehr gut erkennen, an welchen Stellen der Spanplatten-Boden für die Fixierung der Pfosten ausgeklinkt werden muß.

Wer so eine tolle Schlafstatt hat, der findet das Zubettgehen am Abend sicher nicht mehr so schlimm. Denn wenn es heißt: „Ab in die Koje", dann kann der Nachwuchs diese Aufforderung durchaus wörtlich nehmen – das Boot-Bett ist der Schlager im Kinderzimmer, und das nicht nur nachts. Tagsüber läßt sich nämlich herrlich darauf spielen. So richtig echt wirkt das Boot allerdings erst, wenn man für die entsprechende Kulisse sorgt. Das heißt in diesem Fall, daß die Wände und die Decke eine blaue Grundierung benötigen, ehe Leuchtturm, Wellen und Wolken mit einem weichen Bleistift skizziert und dann aufgemalt werden. Sogar der Wärmequelle unterm Fenster haben wir hier einen azurblauen Anstrich mit Spezial-Heizkörperlack spendiert. Und mit etwas Fantasie spürt der kleine Abenteurer auch den Strand unter den nackten Füßen, wenn er vom Boot auf den sandfarbenen Teppichboden hüpft.

Doch nun zum eigentlichen Thema, zum Bett. Es besteht aus einer einfachen, 500 mm hohen Kastenkonstruktion. Den typischen Schiffsrumpf-Charakter erreicht man durch Verwendung von miteinander verleimten Nut- und Federbrettern, die dann zurechtgesägt werden. Die Innenmaße des eigentlichen Bettkastens sollten sich nach schon vorhandenem Lattenrost inklusive Matratze richten – am besten fertigen Sie vor dem Materialeinkauf eine genaue Skizze an. Dabei können Sie sich an der Explosionszeichnung, die die Montage gut verdeutlicht, und einem verkleinerten Grundriß des Bugteils orientieren. Folgende Tips helfen beim Bau: Die Bodenplatte erhält dort Aussparungen, wo die Pfosten positioniert werden – man kann sie dann noch durch kleine Stuhlwinkel mit der Platte verschrauben. An den Pfosten wiederum fixiert man alle Wandteile mit Leim und Schrauben.

Leisten, die rundum auf der Bodenplatte verlaufen, geben zusätzlichen Halt. Für eine Versteifung sorgen die beiden Trennwände ebenso wie ein Spanplattenzuschnitt, der in der Mitte des Bettkastens befestigt wird.

Wer Schubkästen möchte, kann deren Fronten direkt aus der vorderen Bettkastenwand aussägen – die Größe bleibt Ihnen überlassen. Unsere Schubkästen sind der besseren Beweglichkeit wegen mit Möbelrollen ausgestattet.

Und so klappt die Mastmonage: Ein Brett per Lochsäge mit einer ca. 62 mm großen Öffnung versehen und das Mastholz, an dessen oberem Ende eine Hakenschraube sitzt, durchstecken. Den Mast zwischen die beiden Trennwände setzen, mit der Wasserwaage ausrichten, die Ösenschraube in der Decke verdübeln, das Rundholz oben einhängen und unten mit den Trennwänden verschrauben.

Die Wände des Bettkastens bestehen aus miteinander verleimten Nut- und Federbrettern, die man dann auf Maß sägt.

Am Spanplattenboden befestigt man Pfosten, und an denen verschraubt man unter Leimzugabe die einzelnen Wandteile des Bettkastens. Alle Schraubenköpfe sollten gut versenkt und später verspachtelt werden.

So läßt sich das kurze Frontstück am Ende leichter biegen: Alle fünf Zentimeter bringt man einen Sägeschnitt an, der bis zur Mitte der Holzstärke reicht.

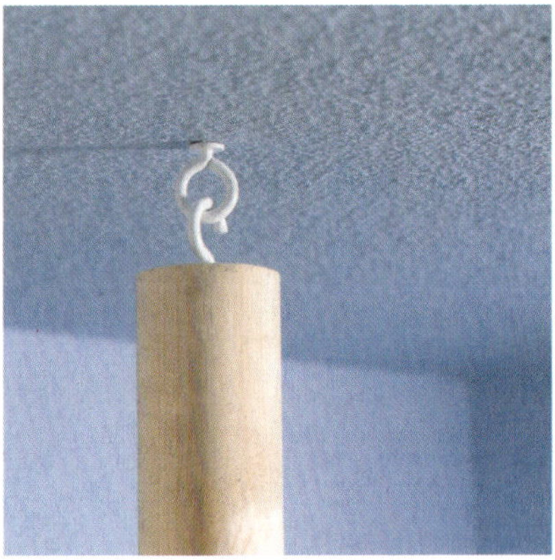

Da der Mast bei Seeräuberspielen zwangsläufig stark beansprucht wird, muß er besonders gut gesichert werden: Unser Detailfoto zeigt die Befestigung mit Schraubhaken und Öse in der Zimmerdecke.

Schlafen in Etagen

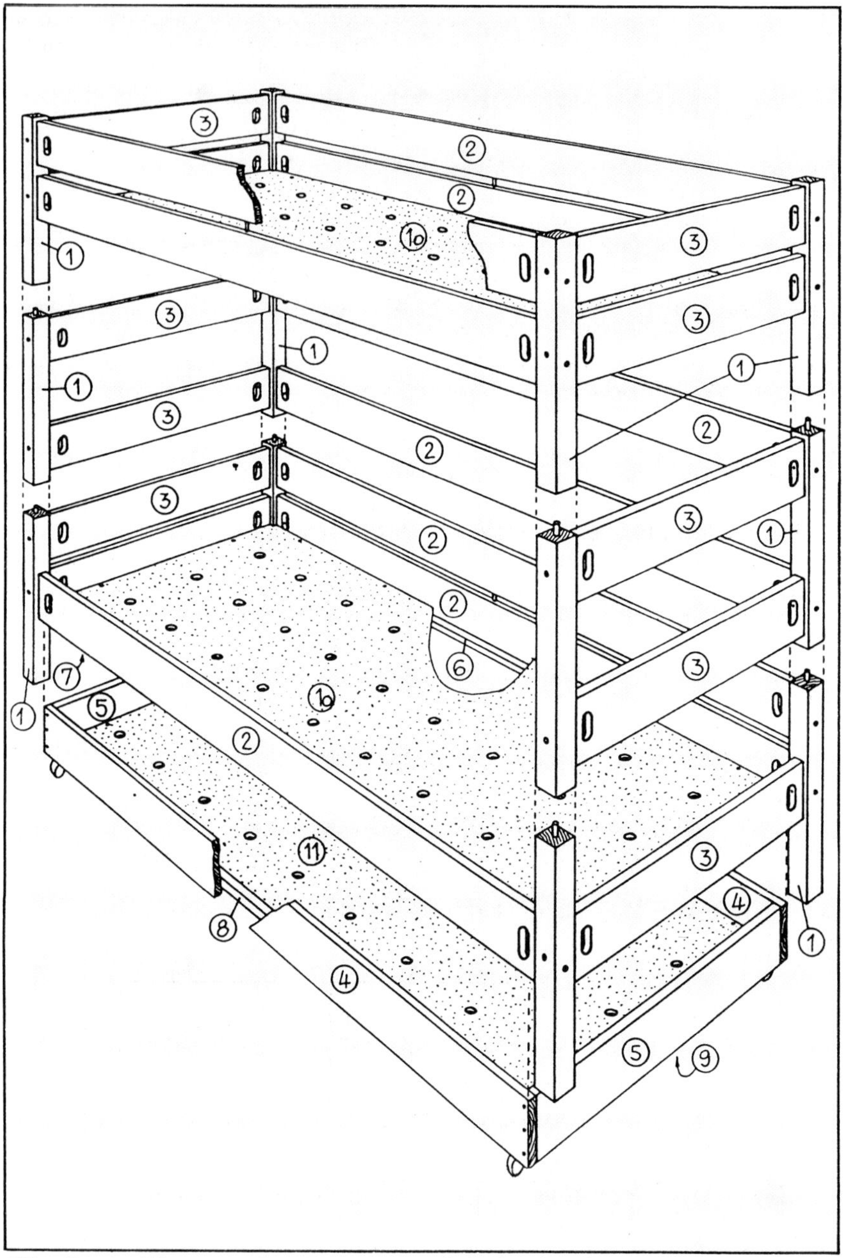

Hier die vier Elemente: das obere Bett, das Zwischenteil, das untere Bett und der Bettkasten. Deutlich wird die Verbindung der einzelnen Elemente durch halb in die Pfosten eingelassene Holzdübel. Die Querbretter seitlich dienen als „Treppe".

Ist Ihr Nachwuchs immer ganz aus dem Häuschen, wenn er bei Freunden mal im Etagenbett schlafen durfte? Bauen Sie ihm doch auch eins! Unsere Schlafstatt läßt sich dank der Systemteile nicht nur einfach bauen, sondern auch prima variieren: Man kann sie um weitere Elemente ergänzen, übereck aufstellen – zu empfehlen, wenn Ihre Kinder noch recht klein sind – und in Einzelbetten zerlegen, sobald die Kleinen zu Teenagern gereift sind, die getrennte Zimmer vorziehen. Ein zweiter Bettkasten sollte dann jedoch nicht fehlen.

Jede Einheit besteht aus vier Pfosten und Quer- bzw. Längsbrettern. Die Anzahl und Anordnung der Bretter hängt vom Verwendungszweck des Elementes ab. Unsere Materialliste und die Zeichnung auf Seite 34 beziehen sich auf das Etagenbett mit Bettkasten, so wie es das Foto auf Seite 33 zeigt.

Unser Ratschlag: Mit einer Matratze in den Maßen 10 × 80 × 190 cm bestückt, wird der Bettkasten sogar zur Gästeliege; die anderen Matratzen haben das Standardmaß 80 × 200 cm bei beliebiger Dicke.

Bevor's losgeht, müssen Sie zwei Schablonen bauen.

Die erste Schablone:

Sie brauchen eine ca. 250 × 500 mm große Holzplatte, auf die Sie vorn eine Leiste, rechts und links zwei Klötze im Abstand von 170 mm nageln. In den Bohrständer einen 25-mm-Forstnerbohrer einspannen und die Schablonen so darunter fixieren, daß die Bohrerspitze exakt die Mitte zwischen den Klötzen trifft und 42 mm von der Anschlagleiste entfernt ist.

Und so benutzt man die Schablone: Jedes Brettende erst gegen die Leiste und den rechten Klotz schieben und halb einbohren, dann gegen den linken Klotz schieben und wieder halb einbohren. Das Brett umdrehen und den Vorgang wiederholen, bis die Bohrungen durchgängig sind.

Materialliste

Pos.	Anz.	Bezeichnung	Maße in mm	Material
1	12	Pfosten	520 lang	Kiefer 43 × 43 mm
2	9	Längsbretter	1978 lang	Kiefer 140 × 21 mm
3	11	Querbretter	778 lang	
4	2	Längsbretter	1942 lang	
5	2	Querbretter	800 lang	
6	4	Auflageleisten	1978 lang	Kiefer 15 × 15 mm
7	4	Auflageleisten	778 lang	
8	2	Auflageleisten	1900 lang	
9	2	Auflageleisten	770 lang	
10	2	Böden	2000 × 800	Spanplatte 16 mm dick
11	1	Boden	1900 × 800	

4 Möbelrollen, 50 mm hoch; 40 Senkkopf-Schrauben M6 × 80 mit Mutter und U-Scheiben; Spanplatten-Schrauben 3,5 × 30; 96 Holzdübel ∅ 10 × 40; 3 Dübelstangen ∅ 10 × 100 mm; Holzleim.

Die zweite Schablone:
Die Schablone Nr. 2 besteht aus einer 140 × 140 mm großen Sperrholzplatte, auf die eine 140 mm lange Leiste, 21 × 43 mm, bündig mit einer Plattenkante aufgeschraubt wird. Orientierungshilfe beim Anzeichnen der Linien gibt das Foto links unten auf Seite 37. Die drei Querlinien auf der Platte, die sich auf der Leiste fortsetzen, haben zum unteren Rand Parallel-Abstände von 20, 80, 120 mm. Es folgen zwei Längslinien: die auf der Platte ist von der Leiste 22 mm entfernt, die auf der Leiste 11 mm von der Platte. Die Schnittstellen sind Bohrmittelpunkte für die 10-mm-Löcher außen und die 6,5-mm-Bohrung dazwischen.
Ehe Sie die Pfosten einbohren, zeichnen Sie die Positionen der Bretter an. Der Abstand zum oberen Rand beträgt stets 10, der zwischen den Brettern 30 mm. Die brettbreite Schablone kann man nun bei Bedarf mit Schraubzwingen exakt zwischen zwei Markierungsstrichen fixieren. Um hierbei den Überblick zu behalten, ist eine Skizze mit allen nötigen Pfosten, Quer- und Längsbrettern nützlich, wenn man die einzelnen Teile in der Zeichnung und in natura identisch durchnumeriert. Beim Bohren der Pfosten so vorgehen, wie schon bei den Brettern beschrieben.
Pfosten, die noch ein Element tragen, mit einem Holzdübel, der in eine mittige, 22 mm tiefe 10-mm-Bohrung gesetzt und mit einer Schraube gesichert wird, präparieren.
Der Bettkasten:
Die Längs- und Querbretter laut Zeichnung verleimen und verschrauben, dann die Auflageleisten mit 5 mm Abstand nach unten befestigen. Die Böden alle 200 mm mit 25 mm Durchmesser lochen. Übrigens: Die Böden (10) bekommen in den Ecken noch 11 × 11-mm-Aussparungen.
Nun den Bettkastenboden mit den Auflageleisten verschrauben und Möbelrollen anbringen.
Die Montage der Einheiten:
Alle Teile vor der Montage grundieren, Schraubenlöcher und Unebenheiten spachteln. Schleifen und 2 × lakkieren.
Bretter und Pfosten werden stets ohne Leimzugabe mit je zwei Holzdübeln und einer Senkkopf-Schraube verbunden. Die Schraube von außen durch die 6,5-mm-Bohrung stecken und im Oval mit einer Unterlegscheibe und Mutter fixieren und festziehen.
Die Betten-Elemente noch um die Auflageleisten für die Böden ergänzen und diese dann aufschrauben.

Bohrständer, Forstnerbohrer (25 mm) und Schablone – wie sie gebaut wird, erklären wir genau im Text – sind nötig, um die ovalen Löcher in den Brettern stets deckungsgleich zu arbeiten.

Sind die Bohrungen hergestellt, zeichnen Sie die löcherverbindenden Tangenten an. Danach sägen Sie das dazwischenstehende Holz aus und glätten die Ovale mit Schleifpapier, das Sie um ein Rundholz legen.

Hier die zweite Schablone. Sie ist für deckungsgleiche Löcher in den Pfosten und Stirnseiten der Bretter unerläßlich. Auch hier verweisen wir auf die genaue Baubeschreibung im Text, die alle notwendigen Maßangaben enthält.

Jetzt wird die Schablone an den Stirnenden der Längs- und Querbretter mit zwei Schraubzwingen festgespannt. Das 6,5-mm-Loch in der Mitte bohrt man bis zum Oval durch. Die beiden Dübellöcher je ein wenig tiefer als die halbe Dübellänge bohren.

Zum Lochen der Pfosten wird durch das Sperrholzbrett der Schablone gebohrt. Zum Bohren der zweiten Pfostenseite dreht man die Schablone um 180 Grad, so daß die beiden 6,5-mm-Bohrungen in der Höhe stets um 20 mm versetzt liegen.

Eine Eckverbindung: Zwei Holzdübel und eine Senkkopf-Schraube – deren Mutter sitzt kindersicher in der ovalen Aussparung – halten je ein Längs- bzw. Stirnbrett am Pfosten. Um die Schraubenköpfe zu versenken, die Bohrungen erweitern.

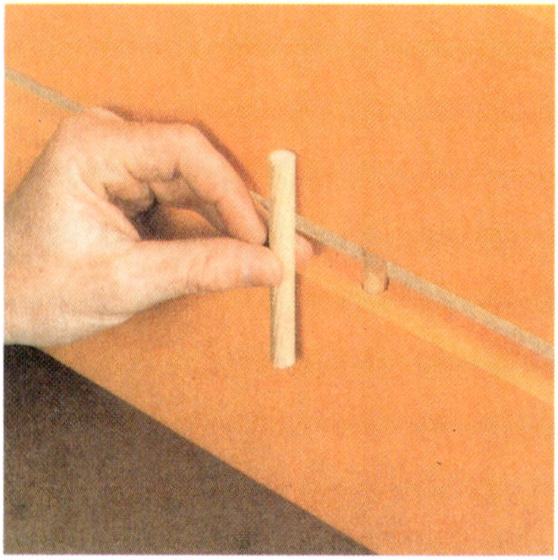

Liegen zwei Längsbretter (2) dicht übereinander, verbindet man sie auf halber Länge mit 100 mm langen Dübelstangen, deren Durchmesser 10 mm beträgt und die man in 35 mm tiefe Sackbohrungen einsetzt; das bringt zusätzliche Stabilität.

Zum Schluß werden die Rollen unter den Bettkasten geschraubt. Achten Sie bitte auch hier auf das richtige Versenken der Schrauben.

Ein Himmel fürs Bett

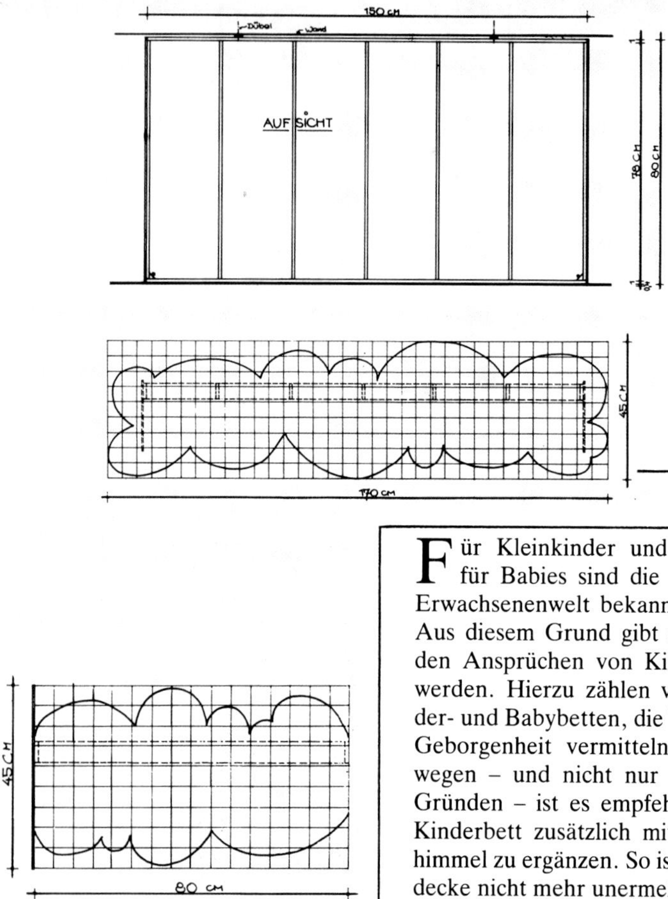

Oben: das tragende Gerüst für den Himmel. An ihm werden sowohl der Stoff als auch die aus Sperrholz geschnittenen Wolken befestigt. Darunter: Die Wolke der Längsseite – sie steht an jeder Seite 100 mm über. Die untere Zeichnung zeigt die kleinen Wolken für die kurzen Seiten des Himmels. Die quadratischen Kästchen haben eine Seitenlänge von je 50 mm.

Für Kleinkinder und insbesondere für Babies sind die Maßstäbe der Erwachsenenwelt bekanntlich zu groß. Aus diesem Grund gibt es Möbel, die den Ansprüchen von Kindern gerecht werden. Hierzu zählen vorrangig Kinder- und Babybetten, die besonders viel Geborgenheit vermitteln sollen. Deswegen – und nicht nur aus optischen Gründen – ist es empfehlenswert, das Kinderbett zusätzlich mit einem Betthimmel zu ergänzen. So ist die Zimmerdecke nicht mehr unermeßlich weit entfernt, sondern der Kleinkinder-Schlafplatz bleibt im angepaßten Maßstabsverhältnis überschaubar.

Ein solcher Betthimmel läßt sich ohne große Mühe und mit relativ wenig Werkzeug- und Materialaufwand selbst herstellen. Er wird aus Holzleisten und Sperrholz sowie Nesselstoff gebaut und stellt eine leichtgewichtige Konstruktion dar, die sich mit festen Schnüren oder dünnen Ketten an der Decke per Dübel und Schrauben befestigen läßt. Da die Kinderbetten zumeist direkt an der Wand stehen, ist es zusätzlich möglich, den Betthimmel auch mit der Wand selbst zu verankern, so daß dann

nur noch zwei Befestigungspunkte an der Decke nötig sind.
Um den Rahmen für den Betthimmel zu bauen, werden die Holzleisten unter Zugabe von Weißleim verschraubt. Dabei sollte darauf geachtet werden, daß die Leisten genau rechtwinklig miteinander verbunden werden. Anschließend ist es erforderlich, die Wolkenformen auf das Sperrholz zu übertragen und mit einer Stichsäge auszuschneiden. Die ausgesägten Kanten sollten mit Schleifpapier leicht gerundet werden.
Nun ist es möglich, den Nesselstoff auf den Rahmen zu spannen und am Rand anzutackern. Wird dazu ein Elektrotakker benutzt, geht diese Arbeit besonders schnell und präzise vonstatten. Der Tacker sollte eine elektronische Schlagkraftregulierung besitzen, damit die Nesselbespannung nicht durchschlagen wird. Überstehender Stoff wird abgeschnitten, damit am Rahmen noch ausreichend Holz freibleibt, um hier später die wolkenförmigen Zuschnitte anzuleimen und zu verschrauben.
Um den Rahmen aufzuhängen, werden in seinen Ecken Dreikantklötze verleimt und verschraubt, in denen dann die entsprechenden Schraubösen ihren Platz finden. Der Stoff des Betthimmels sollte nach Wunsch farbig gestaltet werden. Wir haben hierfür einen Sprühlack mit umweltfreundlichem Treibgas eingesetzt. Zuvor wurden aus Pappkarton Sternformen in unterschiedlicher Größe geschnitten, die auf den Stoff lose aufgelegt werden können, so daß sich beim Sprühlackieren dieser Schablonen die Sternformen gut erkennbar abzeichnen, wenn die Kartonstücke wieder entfernt werden.
Die als „Wolken" dienenden Sperrholzzuschnitte werden zunächst mit umweltfreundlichem Holzgrund vorgestrichen, bevor dann ein zweimaliger Auftrag von ebenfalls umweltfreundlichem Lack für die gewünschte Farbgebung sorgt. Noch schöner werden diese Dekorationen, wenn die Wolkenränder nach dem Trocknen des wasserhaltigen Acryllacks nochmals mit weißem Sprühlack übernebelt werden. Auf diese Art entsteht ein leichter Verlauf. Zur Mitte der Wolken hin soll die weiße Farbe des Sprühlacks dabei zunehmend geringer werden.
Sprühlack trocknet übrigens in Minutenschnelle, so daß sich die in typischen Wolkenformen ausgebildeten Sperrholzzuschnitte direkt nach dem Sprühlackieren an den Rahmen leimen und mit ihm verschrauben lassen. Damit ist der Betthimmel fertig und kann an Decke und Wand montiert werden.

Materialliste

Pos.	Anz.	Bezeichnung	Maße in mm	Material
1 2	2 7	Rahmenleisten Rahmenleisten	1500 lang 780 lang	Fichte 50 × 10 mm
3 4	1 2	Wolkenteil (vorn) Wolkenteile (seitl.)	1700 × 450 800 × 450	Sperrholz 4 mm dick
5	1	Bespannung	1600 × 900	Stoff

Die Rahmenverbindungen werden einfach unter Leimangabe stumpf verschraubt, wobei man natürlich besonders darauf achten muß, daß die Rahmenleisten genau winklig abgeschnitten wurden.

Wenn der Leim abgebunden hat, kann der eigentliche Himmel aus Stoff auf die Seitenleisten getackert werden. Danach schneidet man den überstehenden Stoff ab, um so genug Holzauflage für die Seitenblenden freizulassen.

Nachdem die Wolken durchgehend blau gestrichen wurden, kann man ihre Konturen nun mit weißem Lack aus der Sprühdose aufhellen und so dem ganzen Himmel einen Eindruck von Leichtigkeit verleihen. Übrigens, der Sprühlack trocknet innerhalb von Minuten.

Der Himmel wirkt besonders hübsch, wenn man auf ihn Sterne aus Pappkarton in verschiedenen Größen legt und erst dann das Blau mit der Sprühdose aufbringt. Die blauen Karton-Sterne können Sie sogar noch auf der Wand über dem Bett befestigen.

Kinderbett mit Schubladen

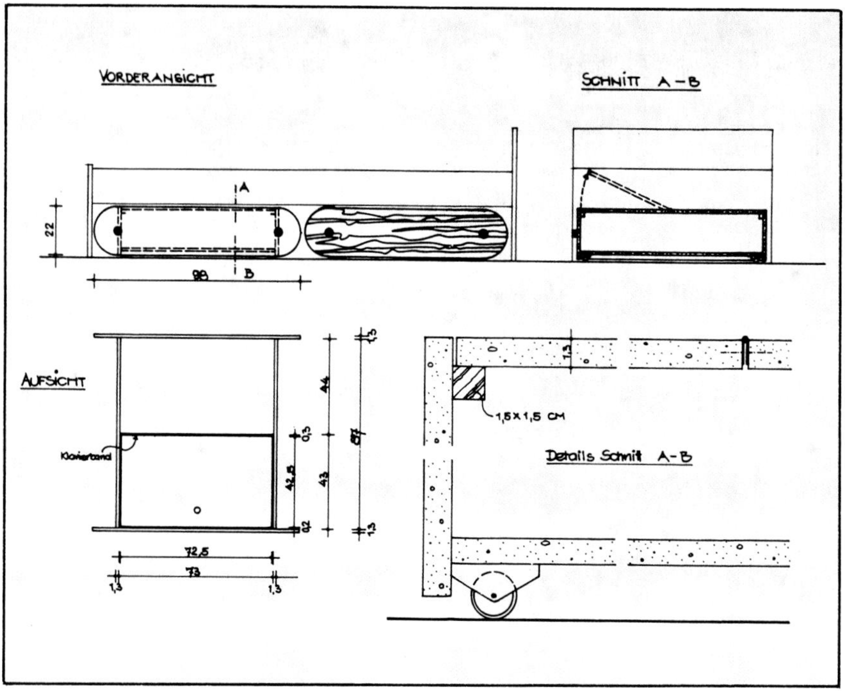

Unter Kinderbetten gibt es zumeist noch viel Platz zum Unterbringen von Wäsche oder Spielzeug. Dieser Raum läßt sich nutzen durch zwei selbstgemachte Kästen, die jeweils auf Rollen stehen, so daß sie leicht unter dem Kinderbett hervorgezogen werden können. Damit die in den Rollcontainern untergebrachte Wäsche nicht verstaubt, erhalten die Behälter zusätzlich eine bewegliche Klappe. Hübsch bemalt oder im Ton farbig auf die Raumatmosphäre abgestimmt, sind die beiden Rollcontainer sowohl dekorativ wie auch praktisch. Darüber hinaus wird zum Nachbau relativ wenig Material benötigt, und es ist auch nicht allzu schwer, die beiden Kästen anzufertigen.

Zunächst werden die benötigten Tischler- oder Spanplatten, nach den Maßen der Stückliste zugeschnitten, im Heimwerker-Fachhandel eingekauft. Dann können die beiden seitlichen Querleisten mit dem Boden verbunden werden. Dies ist am einfachsten mit Weißleim und Schrauben zu bewerkstelligen. Die halbkreisförmigen Rundungen an den Containern werden zunächst mit Hilfe eines Zirkels angezeichnet und anschließend mit einer Stichsäge ausgeschnitten. Die Rundungen werden mit einer Raspel und einer Holzfeile nachgearbeitet und anschließend mit Sandpapier schön glattgeschliffen. Danach lassen sich auch die beiden Blenden anbringen, so daß ein oben offener Kasten entstanden ist. Da die Blenden ein wenig über den Boden überstehen, wie dies auch aus der Konstruktionszeichnung hervorgeht, werden gleichzeitig die Rollen verdeckt. Die Bodenfreiheit der Rollcontainer soll 10 mm betragen. Alle Schrauben werden versenkt. Die Löcher sollten ebenso wie auch die Spanplattenkanten nachgespachtelt und sauber nachgeschliffen werden. Es folgt das Anbringen der Trageleisten für die Abdeckung an den Innenkanten der Kästen. Diese Leisten werden ebenfalls wieder unter Zugabe von Leim angeleimt und angestiftet. Der Abstand von der oberen Kante beträgt 13 mm: Dies ist auch die Stärke der Tischler- oder Spanplatten.

Es fehlt nur noch die Abdeckung mit der Klappe. Beide Teile werden mit Klavierband verbunden. Dabei sollten möglichst 30 mm lange Schrauben verwendet werden, die es vorwiegend in Beschlagsgeschäften gibt. Mit diesen Schrauben wird ein besonders guter Halt in den Stirnkanten der Span- oder Tischlerplatten erreicht. Wer möchte, kann den hinteren Teil der Abdeckungen an den Trageleisten fest verschrauben oder vernageln, wobei ebenfalls Holzleim zugegeben wird.

Damit sich die Klappe leicht öffnen läßt, erhält sie ein Griffloch mit 3 bis 4 cm Durchmesser. Pro Container werden vier Rollen benötigt, die abschließend an den vier Ecken des Bodens angeschraubt werden. Zum Lackieren des fertigen Werkstücks eignet sich umweltfreundlicher, wasserhaltiger Lack, der sich leicht auftragen läßt und schnell trocknet.

Materialliste

Pos.	Anz.	Bezeichnung	Maße in mm	Material
1	4	Blenden	980 × 220	Tischler- o. Spanplatte 13 mm dick
2	4	Querstücke	870 × 220	
3	2	Böden	870 × 730	
4	2	Abdeckungen	440 × 730	
5	2	Klappen	425 × 725	
6	4	Tragleisten	870 lang	Fichte 15 × 15 mm
7	4	Tragleisten	700 lang	

8 Rollen, 25 oder 30 mm hoch; 2 Klavierbänder, 725 mm lang; Holzschrauben; Weißleim; Lack.

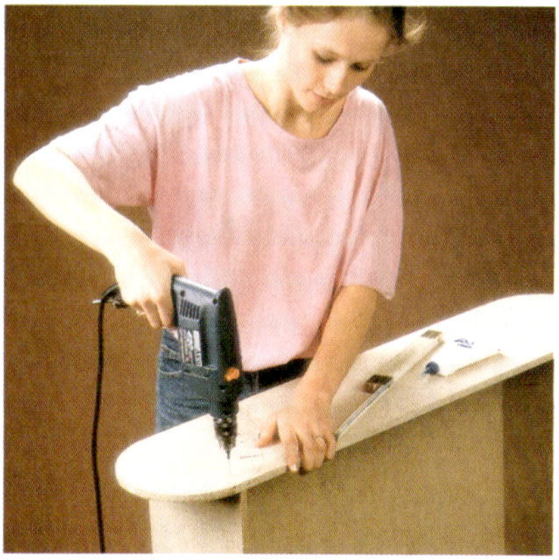

Nachdem die Rundungen der Frontplatte mit der Stichsäge ausgeschnitten und gut nachgearbeitet worden sind, kann der Zusammenbau der Rollcontainer erfolgen. Die Eckverbindungen haben wir unter Angabe von weißem Holzleim stumpf verschraubt.

Das Foto zeigt das Anbringen der Leisten, auf denen die Deckplatte und die Klappe aufliegen werden, die den Inhalt der Container vor Staub schützen sollen. Auch diese Holzverbindungen werden geleimt und genagelt oder geschraubt.

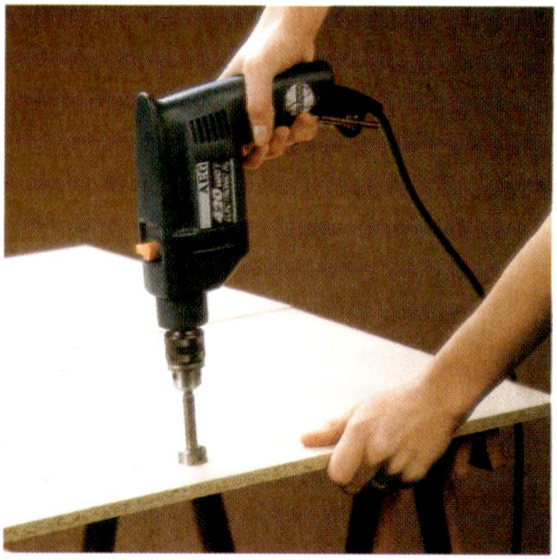

Hier ist eine der beiden zweigeteilten Abdeckplatten zu sehen. Im Moment wird gerade das Griffloch gebohrt (30- oder 40-mm-Forstner-Bohrer), das das Öffnen der Klappe deutlich erleichtern wird.

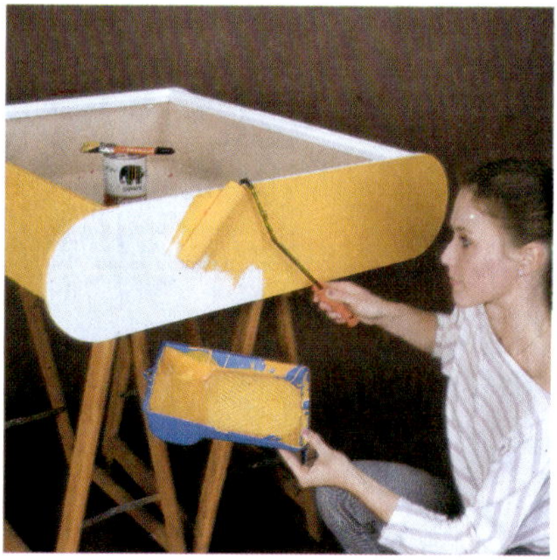

Und nun die Oberflächenbehandlung mit möglichst umwelt- und kinderfreundlichen Lacken: Zunächst kommt die Grundierung, und dann folgen zwei Lackschichten. Zwischen diesen Arbeitsgängen sollte man genügend Zeit zum Trocknen der Farben berücksichtigen.

Endlich mal auf Türen kritzeln

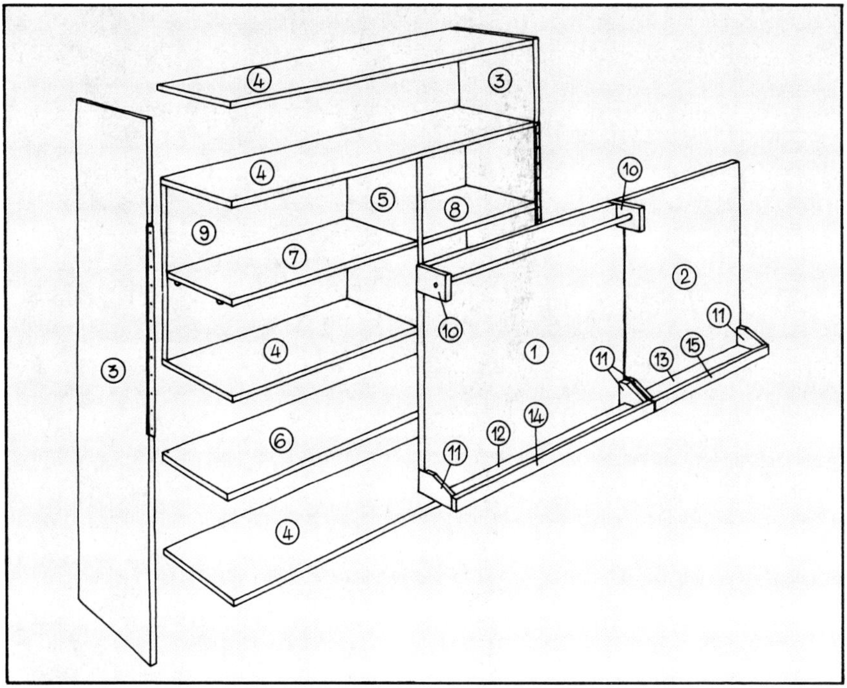

Die Böden (6), (7) und (8) ruhen auf Bodenträgern, alle anderen sind fest verschraubt. Die beiden Türen des Regals werden mit Klavierband angeschlagen und von je einem Magnetschnäpper gehalten.

Das löst bestimmt Begeisterungsstürme aus: ein buntes Regal, dessen Türen die Kleinen nach Herzenslust bemalen dürfen. Bei diesem originellen Kindermöbel sind die Schranktüren mit einem speziellen Lack gestrichen, so daß man darauf wie auf einer Schultafel malen und schreiben kann. Für „dauerhafte" Kunstwerke ist die Papierrolle gedacht, die in eine extra dafür vorgesehene Halterung gespannt wird. Kreide, Stifte und Malfarben lassen sich gut in dem geschlossenen Schrank oder den beiden großen Ablagen unterbringen.

Zunächst bauen Sie den Korpus, d. h. Sie setzen zwischen die beiden Seitenwände den Boden und Deckel, dann in 60 cm Höhe (vom Boden gemessen) die beiden Regalbretter sowie die senkrechte Trennwand, die später hinter den Schranktüren verschwinden. Verleimen und mit Holzschrauben fixieren. Erst die Rückwand – sie wird stumpf eingesetzt – gibt dem Regal die notwendige Stabilität.

Für die Papierhalterung sägt man aus den beiden oberen Ecken der linken Schranktür Aussparungen aus, für die Ablagen in beiden Türen jeweils unten. Bevor Türen und Rollenhalterung montiert werden, sollten Sie Löcher für die Bodenträger in gewünschter Höhe bohren – jetzt kommen Sie noch mühelos an die senkrechten Bretter heran. Alle sichtbaren Schnittkanten der Spanplatten sorgfältig verspachteln und schleifen.

Beim Zusammenbau der zwei Ablagen beachten Sie bitte, daß der linke Boden 10 mm schmaler als der rechte ist: Durch diesen Schlitz führt man später das Papier. Beide Ablagefächer in die unteren Tür-Aussparungen leimen. Die Papierrollen-Halterung entsteht aus zwei Sperrholzplatten, von denen je zwei vollflächig miteinander verleimt werden. Sie erhalten eine 10-mm-Bohrung für die Dübelstange; diese wiederum eine Holzkugel als Griff.

Nun geht's ans Lackieren: Die Schranktüren zweimal mit Schultafel-Lack streichen, alle übrigen Flächen zunächst mit Holzgrund, dann mit Acryllack. Für die kleinen Ablagefächer eignet sich Sprühlack am besten. Die Türen mit Klavierband anschlagen. Magnetschnäpper montieren und Bodenträger in die vorgebohrten Löcher stecken. Zur Sicherheit sollten Sie die Regalrückwand mit der Zimmerwand verschrauben, damit das Regal auch dann nicht umfallen kann, wenn beide Türen offen sind. Jetzt noch rasch die Papierrolle einlegen, und schon beginnt das Malvergnügen.

Materialliste

Pos.	Anz.	Bezeichnung	Maße in mm	Material
1	1	Tür	600 × 625	Tischlerpl.
2	1	Tür	600 × 472	19 mm dick
3	2	Seitenwände	1500 × 300	
4	4	Böden	1068 × 300	Spanplatte
5	1	Zwischenwand	568 × 280	16 mm dick
6	1	Einlegeboden	1068 × 280	
7	1	Einlegeboden	602 × 280	Spanplatte
8	1	Einlegeboden	450 × 280	13 mm dick
9	1	Rückwand	1068 × 568	Spanplatte 10 mm dick
10	2	Rollenhalter	120 × 80	
11	4	Seitenteile	100 × 70	
12	1	Ablageboden	605 × 70	Sperrholz
13	1	Ablageboden	452 × 80	10 mm dick
14	1	Frontblende	625 × 40	
15	1	Frontblende	472 × 40	

1 Dübelstange, ∅ 10 × 630 lang; 2 Klavierbänder, 600 lang; 2 Magnetschnäpper; 12 Bodenträger; Spanplattenschrauben; Holzleim.

Zunächst werden alle Teile zugeschnitten. Dabei sägt man auch gleich die Aussparungen für die Ablagefächer und die Papierrollen-Halterung in die Türen.

Sind die Einzelteile komplett, beginnt der Zusammenbau des Korpus. Die Holzverbindungen werden stumpf unter Leimangabe verschraubt.

Auch die Ablagefächer werden so, also mit Leim und Schrauben, zusammengebaut. Denken Sie bitte daran, den Ablageboden der breiteren Tür etwa einen Zentimeter schmaler zu machen, um so Platz für den Schlitz zu schaffen, durch den das Papier laufen soll.

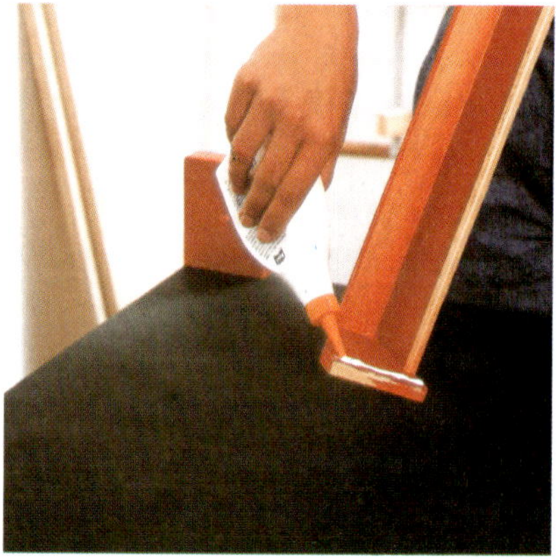

Die Ablagefächer „streichen“ Sie am besten mit Sprühlack – der dringt in alle Ritzen. Und dann ist Ihr Wandtafel-Regal fast fertig, denn nun müssen nur noch die Fächer in die Türen geleimt werden.

Erst Sitzgruppe, dann Regal

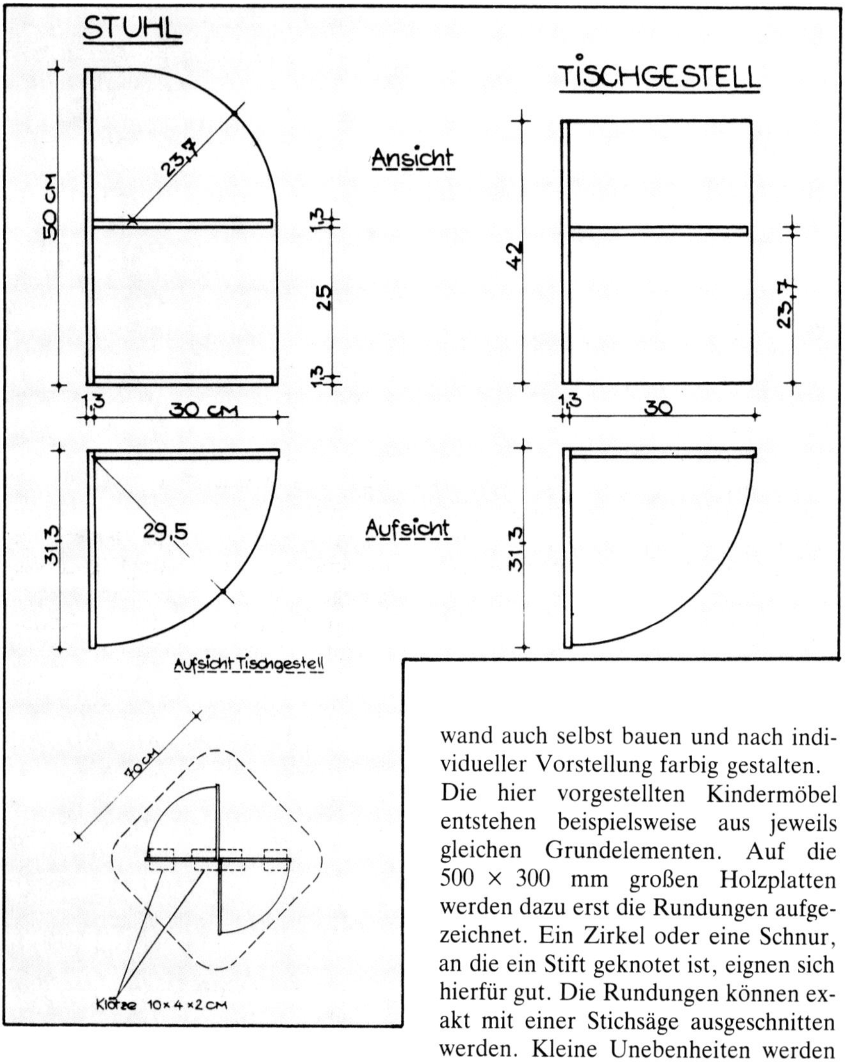

Oft sitzen Kinder an den Tischen der Großen nicht nur unbequem, sondern sind auch durch die falsche Proportionierung einer gesundheitsschädlichen Körperhaltung ausgesetzt. Um dies zu vermeiden, sollte den Kleinen ein kinderfreundliches Mobiliar aufgestellt werden, das auf die kleineren Maßstäbe zugeschnitten ist. Solche Sitzgruppen lassen sich ohne viel Aufwand auch selbst bauen und nach individueller Vorstellung farbig gestalten.

Die hier vorgestellten Kindermöbel entstehen beispielsweise aus jeweils gleichen Grundelementen. Auf die 500 × 300 mm großen Holzplatten werden dazu erst die Rundungen aufgezeichnet. Ein Zirkel oder eine Schnur, an die ein Stift geknotet ist, eignen sich hierfür gut. Die Rundungen können exakt mit einer Stichsäge ausgeschnitten werden. Kleine Unebenheiten werden mit einem Bandschleifer oder mit Sandpapier beseitigt. Die Stühle lassen sich einfach und schnell aus nur drei Teilen zusammensetzen.

Je eine breite (500 × 313 mm) und eine schmalere (500 × 300 mm) Stuhlseite wird an der hinteren senkrechten Kante unter Zugabe von Holzleim von außen verschraubt. Nachdem die Sitzfläche (bestehend aus einem 90°-Segment eines Kreises, Durchmesser 295 mm) herausgesägt wurde, wird sie in einer Höhe von 250 mm ebenfalls von außen verschraubt. Zusätzliche Stabilität erhält der Kinderstuhl durch einen viertelkreisförmigen Zuschnitt, genauso groß wie die Sitzfläche, der am unteren Ende angebracht wird.

Damit sich die Kleinen beim Spielen nicht an überstehenden Schraubenköpfen verletzen können, sollten diese versenkt, verkittet und verschliffen sein.

Die beiden Tisch-Stützen (420 × 300 mm) werden nach dem gleichen Schema wie die Stühle hergestellt. Hier wird jedoch auf das Abrunden der oberen Enden verzichtet.

Bei der 700 × 700 mm großen Tischplatte sollen die Ecken harmonisch abgerundet werden. Damit die Tischplatte beim Spielen nicht verrutscht, werden an der Unterseite acht Fichtenholzklötze aufgeleimt, die als Führung für die beiden Teile des Tisch-Untergestells dienen. Durch diese Bauweise läßt sich die Zahl der Stühle leicht um zwei weitere erhöhen, weil die Tisch-Stützen baugleich mit den Stühlen sind.

Bevor mit umweltfreundlichem wasserhaltigem Holzgrund grundiert wird, sollten die Schnittkanten der Spanplatten verspachtelt und verschliffen werden. Jetzt steht dem farbenfröhlichen individuellen Anstrich mit umweltfreundlichem wasserhaltigem Lack nichts mehr im Wege. Mit dem Umweltzeichen „Blauer Engel" ausgezeichneter Lack eignet sich für Kindermöbel und Kinderspielzeug besonders gut, da er vergilbungs- und versprödungsfrei sowie speichelfest und glanzstabil ist.

Nachdem der Lack getrocknet ist, kann die Tischplatte auf die beiden Tisch-Stützen aufgelegt werden.

Sind Tisch und Stühle im Laufe der Zeit zu niedrig geworden, können die Tisch-Stützen einfach als Regal-Elemente in horizontaler oder vertikaler Lage an die Wand geschraubt werden. Die gesamte Sitzgruppe läßt sich ebenfalls als Regal-Elemente verwenden. Durch die identischen Grundelemente können diese nebeneinander oder auch übereinander zu farbenfrohen Regalen fürs Kinderzimmer zusammengestellt werden.

Materialliste

Pos.	Anz.	Bezeichnung	Maße in mm	Material
1	3	Stuhlseiten	500 × 300	Spanplatte 13 mm dick
2	3	Stuhlseiten	500 × 313	
3	8	Sitzflächen	300 × 300	
4	2	Tischstützen	420 × 300	
5	2	Tischstützen	420 × 313	
6	1	Tischplatte	700 × 700	
7	8	Klötze	100 lang	Fichte 20 × 40 mm

Weißleim; Holzgrund; Lack; Farbtöne nach Wahl; Holzschrauben.

Zunächst bereitet man die Einzelteile sorgfältig vor. Hier hilft eine stationär befestigte Bandschleifmaschine beim Nacharbeiten der Rundungen, die zuvor mit der Stichsäge ausgeschnitten wurden.

Der Zusammenbau: Die Eckverbindungen werden stumpf ausgeführt, das heißt, unter Leimzugabe verschraubt man Seiten und Sitzflächen bzw. die Einzelteile des Tischs.

Nachdem das Holz zunächst grundiert wurde, kommt jetzt das Lackieren dran. Farbwahl und -zusammenstellung bleiben natürlich ganz Ihnen überlassen. Zwischen den einzelnen Arbeitsgängen sollte man längere Pausen einlegen, um dem Lack Zeit zum Trocknen zu geben.

Die Tischplatte wird montiert: Acht Klötze (vgl. Zeichnung auf Seite 52) werden gut mit Leim bestrichen und dann einfach fest in die Ecken gedrückt. Ein Tip: Hervorquellenden Leim gleich mit einem feuchten Lappen abwischen.

Stuhl und Mehrzweckstisch

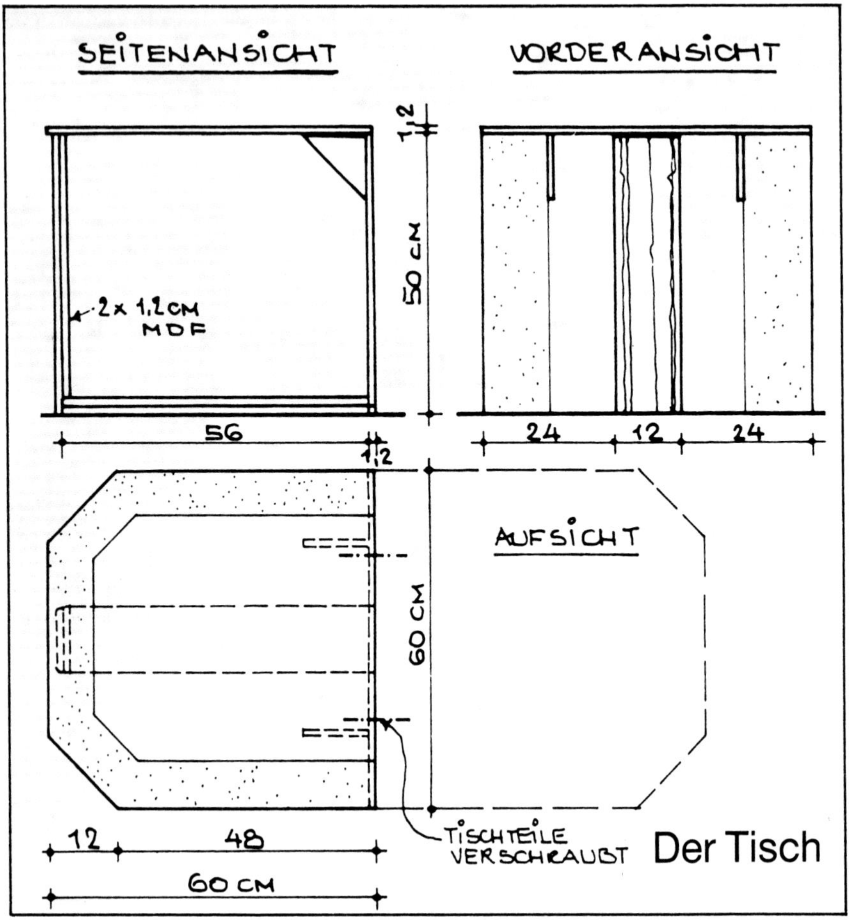

Der Tisch

Herkömmliche Kindermöbel sind häufig aus Plastik hergestellt und lassen sich, nachdem die Kinder größer geworden sind, nicht mehr anderweitig verwenden. Deswegen lohnt es sich, solche Möbel selbst zu bauen. Einige Holzwerkstoffplatten und etwas Geschick im Umgang mit Holz reichen aus, um eine farbenfrohe und praktische Sitzgruppe für Kinder herzustellen. Der Tisch ist dabei so geplant, daß er sich später halbieren läßt, um ihn beispielsweise als Beistelltisch weiter zu benutzen.

Die Stühle sowie beide Tischhälften sind nach ein und demselben Prinzip gebaut. Die unteren Streben der Stühle bestehen dabei waagerecht aus jeweils zwei unterschiedlich großen 12 mm starken MDF-Masterwood-Platten (310 × 100 mm und 322 × 100 mm). Sie werden vollflächig mit weißem Holzleim verleimt. Wenn die Hinterkanten bündig anliegen, ist vorne ein Falz entstanden, der 12 mm mißt.
Als senkrechte Stützen werden die beiden 290 × 100 mm und 266 × 100 mm großen Platten auf dieselbe Weise

miteinander verleimt. Durch das Verschieben der Platten zieht der Holzleim die Einzelteile zusammen, so daß ein Zusammenpressen mit Schraubzwingen nicht notwendig ist. Nach diesem System lassen sich die waagerechten und senkrechten Streben für vier Stühle anfertigen.

Es ist jetzt möglich, die Außenkanten der Stuhllehnen (je 600 × 350 mm) sowie der Sitzflächen (je 330 × 330 mm) an den Ecken abzuschrägen. Der Schrägschnitt erhält die Maße 60 × 60 mm und wird mit einer Stichsäge ausgeführt. Arbeitet man dabei sehr exakt, kann man die Dreiecke noch als Winkelverstärkung verwenden.

Bevor Sitzflächen und Rückenlehnen miteinander verleimt werden, sollten Sie die Außenkanten abrunden. Die Sitzflächen und Rückenlehnen beziehungsweise Tischwangen und die Tischplatte werden mit der Hinterkante bündig zusammengesetzt, mit Holzleim verleimt und zusätzlich mit Schrauben gesichert.

Bevor die Einzelteile der Kindersitzgruppe montiert werden, müssen die Aussparungen an den Stuhlrückseiten und den senkrechten mittigen Tischwangen (500 × 600 mm) ausgeschnitten werden, in welche die waagerechten Stützen eingelassen werden können. Die Abmessungen dieser Aussparungen ergeben sich aus der Dicke der Stützen.

Für die Montage der Möbel werden zunächst die senkrechten und waagerechten Streben miteinander verbunden. Die beiden Falze werden verleimt und zusätzlich von unten verschraubt oder verstiftet, da diese Verbindungsstelle besonders stark beansprucht wird. Der so entstandene Winkel läßt sich nun gut in die bereits miteinander verbundenen Rückenlehnen und Sitzflächen einsetzen. Zusätzlichen Halt schaffen hier noch Holzschrauben sowie die Dreiecke, die beim Abschrägen der Rückenlehnen angefallen sind. Sie werden unten in den Winkel zwischen Sitzfläche und Rückenlehne eingeleimt.

Die montierten Möbel sollten vor dem Lackieren mit umweltschonendem Holzgrund vorbehandelt werden.

Für die farbenfrohe Lackierung sollten umweltschonende Acryllacke eingesetzt werden, die es in vielen leuchtenden Farbtönen sowohl hoch glänzend als auch seidenmatt glänzend gibt. Es ist nicht schwer, harmonische Farbkontraste damit zu erzielen, die durch unterschiedliche Glanzgrade noch unterstrichen werden. Den wasserhaltigen

Materialliste

Pos.	Anz.	Bezeichnung	Maße in mm	Material
1	2	Tischplatten	600 × 600	MDF-Masterwood-Platten 12 mm dick
2	2	Wangen	500 × 600	
3	2	Stützen außen	500 × 120	
4	2	Stützen innen	476 × 120	
5	2	Streben außen	572 × 120	
6	2	Streben innen	560 × 120	

Weißer Holzleim; Alleskleber; Holzgrund; Lack; Schrauben.

Die Stühle

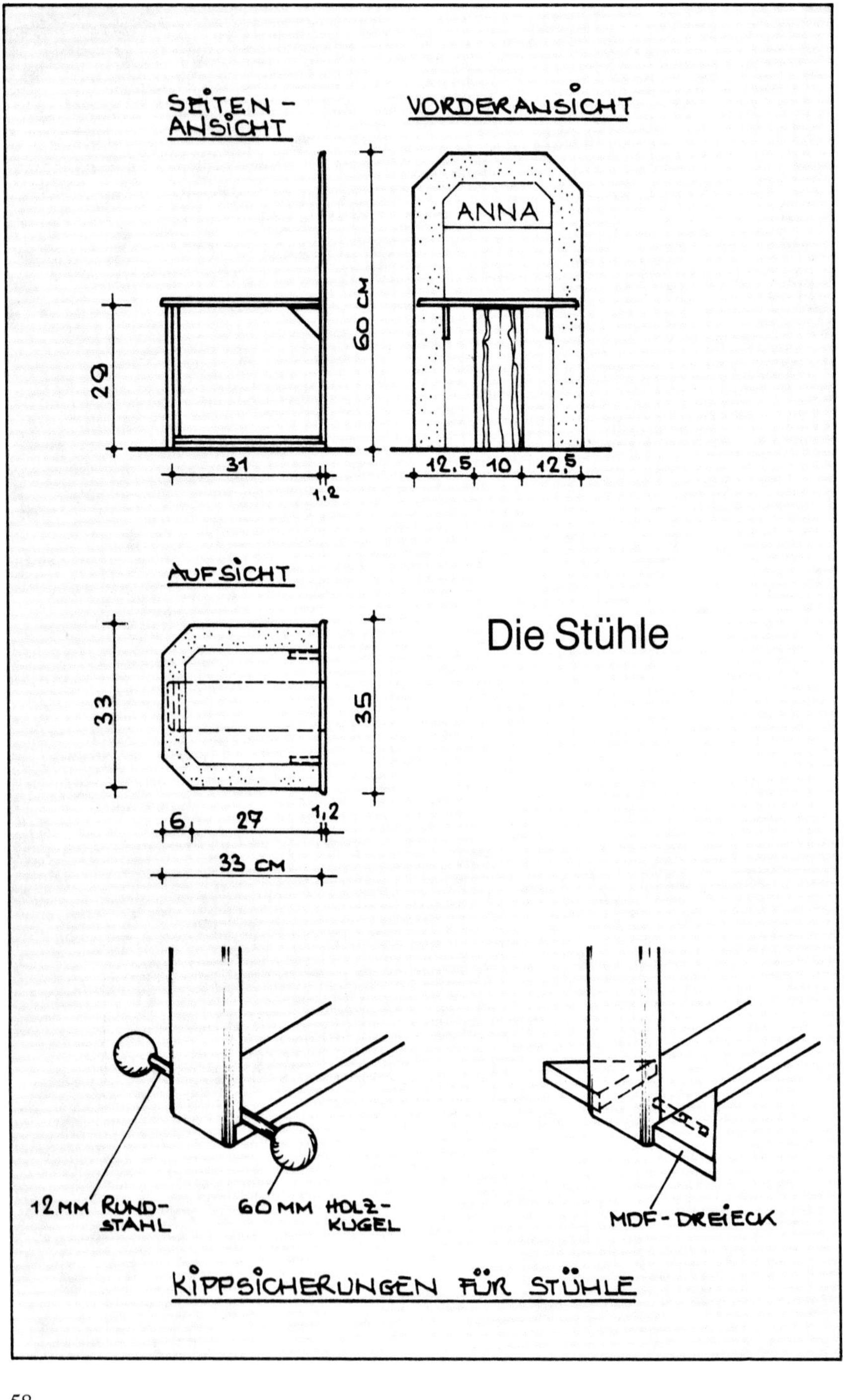
SEITEN-ANSICHT
VORDERANSICHT
ANNA
60 CM
29
31
1,2
12,5
10
12,5
AUFSICHT
33
35
6
27
1,2
33 CM
12 MM RUND-STAHL
60 MM HOLZ-KUGEL
MDF-DREIECK
KIPPSICHERUNGEN FÜR STÜHLE

Lack kann man mit einem Kunststoff-Pinsel auftragen. Einfacher geht es auf den glatten Flächen mit einer kleinen Schaumstoffrolle. Der Lack ist vergilbungs- und versprödungsfrei sowie beständig gegen Reinigungsmittel, was gerade bei Kindermöbeln wichtig ist.
Wenn der Lackauftrag trocken ist, können die beiden Hälften des Tischs miteinander verschraubt werden. An den Stühlen fehlen noch Abstützungen, die verhindern, daß sie seitlich wegkippen können. Entweder werden diese Stützen aus zwei Dreiecken hergestellt, die sich verdeckt andübeln lassen, oder man verwendet einen Metallstab, an den rechts und links mit Alleskleber eine Holzkugel geklebt wird. Dieser Rundstab kann an der Innenseite des Strebenwinkels eingesetzt werden, wenn die Holzkugeln einen Durchmesser von 60 mm haben.

Materialliste

Pos.	Anz.	Bezeichnung	Maße in mm	Material
1	4	Sitzflächen	330 × 330	MDF-Masterwood-Platten 12 mm dick
2	4	Rückenlehnen	600 × 350	
3	4	Stützen außen	290 × 100	
4	4	Stützen innen	266 × 100	
5	4	Streben außen	322 × 100	
6	4	Streben innen	310 × 100	

Weißer Holzleim; Alleskleber; Holzgrund; Lack; Schrauben.

Das Verleimen der senkrechten und waagerechten Streben: Es wird reichlich Leim angegeben, dann legt man die Platten aufeinander und schiebt sie in die richtige Position; dadurch „saugen" sie sich so aneinander, daß zusätzlicher Druck durch Zwingen überflüssig ist.

Der Stuhl im Rohbau – gut zu erkennen: die Dreiecke am „Vorderbein", die ein Kippeln des Stuhls verhindern werden. Die Verbindungen sind verleimt und verschraubt, wobei darauf zu achten ist, daß die Schrauben gut versenkt und anschließend verspachtelt werden.

Die „künstlerische Gestaltung", also Farbauswahl und Umsetzung, wird allenfalls durch das Angebot an kinderfreundlichen Lacken begrenzt. Falls Sie Ihren Jüngsten ein Mitspracherecht einräumen, machen Sie ihnen bestimmt eine besonders große Freude.

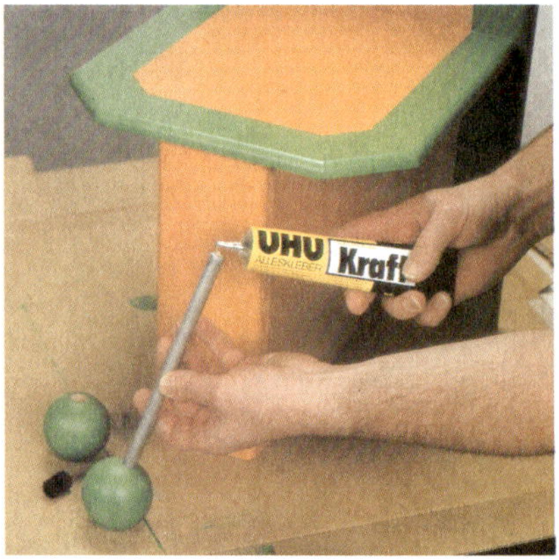

Und noch einmal Sicherheitsstützen, diesmal in Form von Holzkugeln (60 mm Durchmesser), die auf einen Metallstab gesteckt und damit verleimt werden.

Herzige Kindermöbel

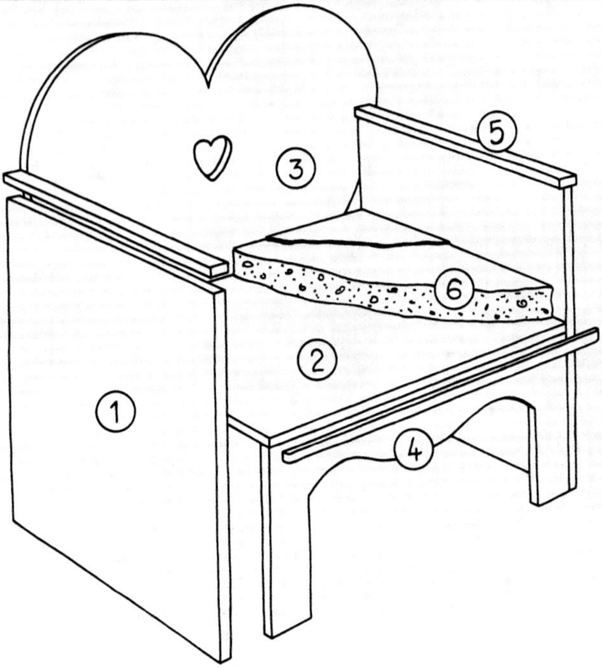
5
3
6
2
1
4

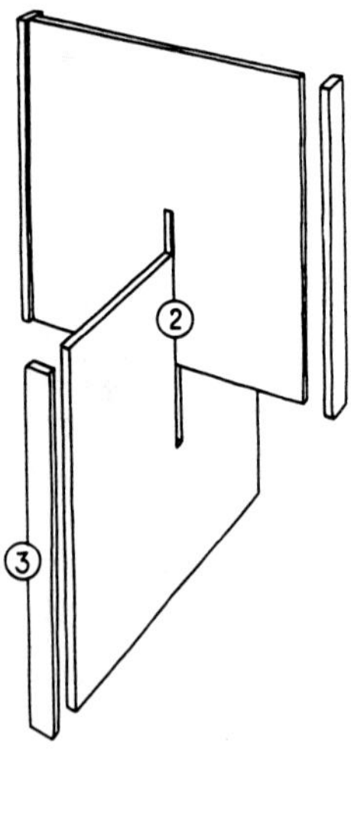
2
3

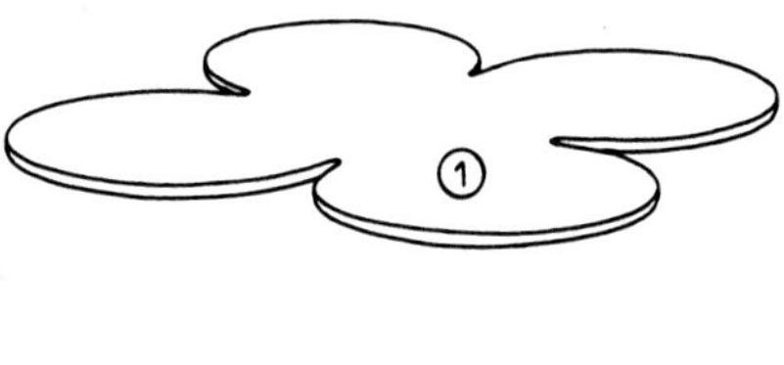
1

Auch unsere lieben Kleinen brauchen ihre Klön- und Spielecke. Mit diesen „herzigen" Kindermöbeln wird jeder Kindergeburtstag ein voller Erfolg. Leicht zu bauen und transportierbar, werden sie jedem Ansturm, ob innen oder außen, standhalten.
Damit die Kindermöbel auch recht lange halten: Die richtige Laufrichtung der Tischlerplatte ergibt sich jeweils aus dem ersten Maß in der Materialliste.
Alle Teile stumpf verleimen und mit versenkten Nägeln befestigen, die anschließend verspachtelt werden.
Für die vorderen Streben der Stühle und für die Rückenlehnen fertigen Sie jeweils eine Schablone an. Im oberen Drittel des Herzens zeichnen Sie vor dem Aussägen mit der Stichsäge rechts und links zwei Punkte an, die miteinander verbunden werden. Dieses Hilfsmittel erleichtert Ihnen das gleichmäßige Anbringen der Rückenlehnen.
Alle Kanten werden gebrochen, nur die Abschlußleisten der Sessel runden Sie ab. Die beiden Fußplatten des Tischs werden nun zum Kreuz zusammengesteckt und die Leisten aufgesetzt.
Vor dem Aussägen des Kleeblattes mit der Stichsäge müssen alle vorgezeichneten Linien mit einem Teppichmesser gut vorgeritzt werden, damit das Furnier nicht ausreißt. Sollte es dennoch passieren, müssen Sie spachteln.
Das Kleeblatt wird nun mit dem Tischkreuz mittels Leim und Senkkopf-Nägeln verbunden.
Für den Anstrich der Kindermöbel eignen sich alle Acryl- oder Kunststofflakke. Er erfolgt am besten mit der Rolle. Ein zweifacher Anstrich erhöht außerdem die Haltbarkeit.
Die Schaumstoffkissen sind 5 cm dick und wurden im Geschäft zugeschnitten. Mit einem lustigen Bezug, der die Farbe der Kindermöbel wiederholen sollte,

Materialliste

Pos.	Anz.	Bezeichnung	Maße in mm	Material
		Herzstuhl:		
1 2 3	2 1 1	Seitenteile Sitzplatte Rückenteil	440 × 350 400 × 350 500 × 440	Tischlerplatte 19 mm dick
4	1	Blende	400 × 230	Tischlerpl. 16 mm dick
5	2	Armlehnen	360 lang	Kiefer 35 × 20 mm
6	1	Sitzauflage	390 × 340	Schaumstoff 50 mm dick
		Kleeblattisch:		
1 2	1 2	Tischplatte Fußplatten	800 × 800 500 × 480	Tischlerpl. 19 mm dick
3	4	Abschlußleisten	480 lang	Kiefer 35 × 20 mm

können Sie der gesamten Gruppe noch zusätzlichen Pep verleihen. Sollten Sie die Möbel nur für den Garten bauen, empfiehlt es sich, wasserfest verleimtes Sperrholz zu verwenden.

Die Fußplatten des Tischs werden um die gegenüberliegende Stärke beidseitig ausgeklinkt. Nach dem Anzeichnen entlang der Innenkante des Strichs aussägen.

Die Teile des Stuhls sehen Sie hier auf einen Blick. Das kleine Herzchen in der Stuhllehne kann man mit einem Bohrer vorbohren und anschließend mit der Stichsäge ausschneiden.

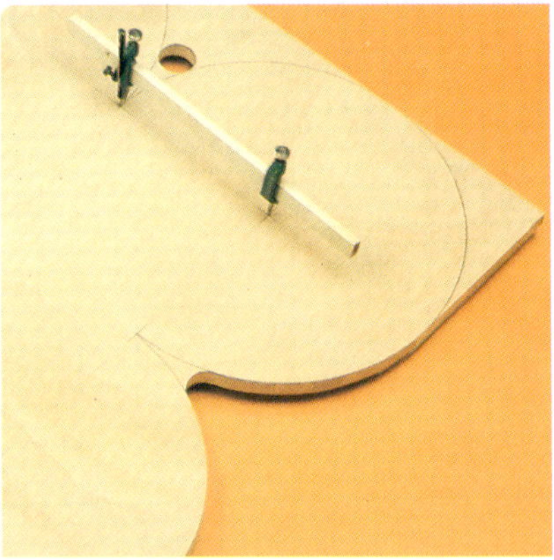

Die Kleeblatt-Tischplatte erhalten Sie durch das Aufzeichnen von vier Kreisen mit einem 20-cm-Radius auf der quadratischen Tischlerplatte. Die Einschnitte bohrt man mit einem Bohrer vor, um so perfekte Rundungen zu erhalten.

Riesenmöbel auf kleinstem Raum

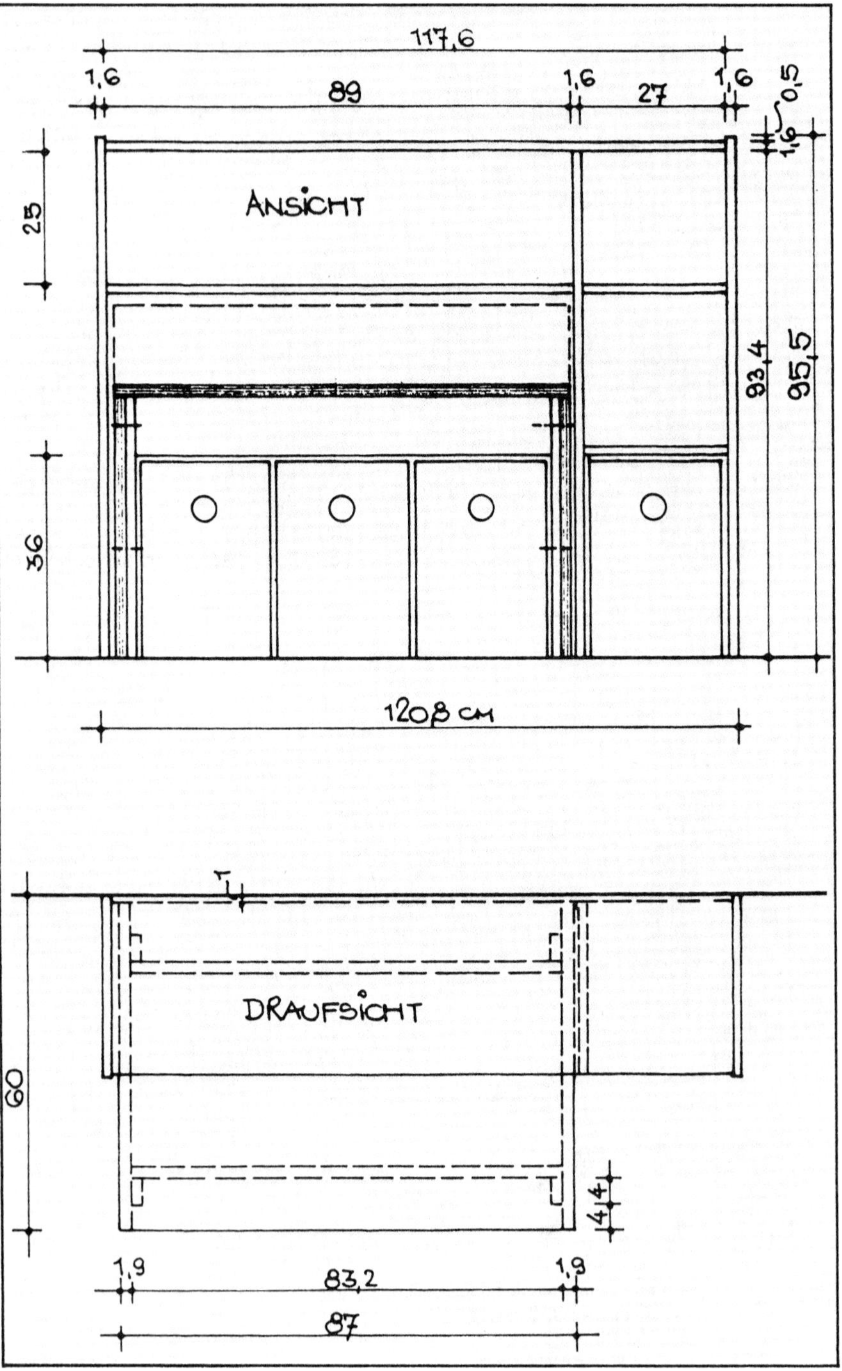
117,6
1,6
89
1,6
27
1,6
0,5
1,6
ANSICHT
25
93,4
95,5
36
120,8 CM
DRAUFSICHT
60
4
4
1,9
83,2
1,9
87

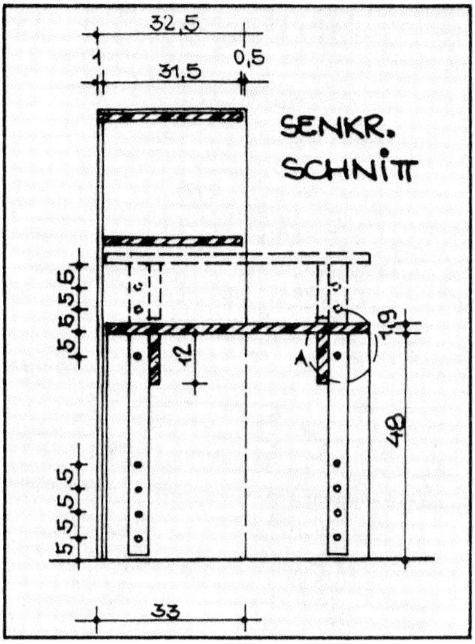

Nur wenig Stellfläche benötigt das hier gezeigte Kinderzimmerregal, das mit einem höhenverstellbaren Kinderzimmertisch und vier praktischen Kisten versehen ist, die sich gleichzeitig auch als Kinderzimmerhocker nutzen lassen. Bei Bedarf ist es möglich, sowohl die Spielzeug- oder Sitzkisten als auch den Tisch aus dem Regal herausziehen, um so die Raumfläche variabel und kindgerecht nutzen zu können. Durch die großzügig bemessenen Regalfächer und Spielzeugcontainer ist es darüber hinaus leicht, das Kinderzimmer rasch und ordentlich wieder aufzuräumen.

Um das Regal zusammenzubauen, werden die Span- oder Tischlerplatten-Zuschnitte, die in den Maßen der Materialliste beim Heimwerkerfachhandel

Materialliste

Pos.	Anz.	Bezeichnung	Maße in mm	Material
		Regal:		
1	2	Außenseiten	995 × 330	Spanplatte 16 mm dick
2	1	Mittelseite	934 × 315	
3	1	ob. Boden	1176 × 325	
4	1	mittl. Boden, lang	890 × 315	
5	2	mittl. Böden, kurz	270 × 315	
6	1	Rückwand	1176 × 934	Spanplatte 10 mm dick
		Tisch:		
1	1	Platte	870 × 600	Spanplatte 19 mm dick
2	2	Wangen	480 × 600	
3	2	Aussteifungen	832 × 120	
4	4	Leisten für Höhenverstellung	485 lang	mögl. Hartholz 20 × 40 mm
		Sitzkästen:		
1	4	Böden	230 × 280	Sperrholz o. Spanplatte 10 mm dick
2	8	Seiten	350 × 250	
3	8	Seiten	350 × 280	

8 Schloßschrauben mit Unterlegscheiben und Muttern, Ø 6 mm, Länge 45 mm; Holzleim; Lack.

erhältlich sind, stumpf miteinander verschraubt und verleimt. Dabei soll jeweils an alle Verbindungen schnell abbindender Holzleim gegeben werden. Da die Rückwand bei dem Kinderzimmerregal ganzflächig aus einem Stück besteht, ist es leicht, hier allein durch Befestigen der beiden Seitenteile und des oberen Abschlußbodens jeweils genau rechte Winkel zu erzielen. Es folgt das Verschrauben und Verleimen der senkrechten Zwischenwand sowie des langen Bodens und der beiden kurzen Regalböden. Die sägerauhen Sichtkanten der Span- oder Tischlerplatten müssen nicht unbedingt mit einem Aufkleber ausgestattet werden, weil zum Lackieren umweltfreundlicher wasserhaltiger Lack eingesetzt wird, der leichtes Füllvermögen besitzt, so daß die rauhen Oberflächen relativ glatt werden. Da der Werkstoff schnell trocknet, ist es auch dementsprechend gut möglich, die Schnittkanten gegebenenfalls noch ein drittes oder viertes Mal mit dem Lack zu überstreichen, um so möglichst glatte Flächen zu erzielen. Das Tischuntergestell besteht aus zwei Seitenteilen, die mit den zwei quer laufenden Plattenzuschnitten rechtwinklig verbunden werden. Auch hierzu reicht das Einsetzen von Holzschrauben unter Zugabe von Holzleim aus. Die Tischplatte steht auf vier Hartholzleisten, die 485 mm lang sind. Sie werden an der Unterseite des Tischs befestigt, und zwar so, daß sie jeweils 10 mm tief eingelassen werden. Dazu sind vier Löcher mit den Maßen 20 × 40 mm auszustemmen. In ihnen lassen sich die Hartholzleisten einleimen und von der Oberseite des Tischs her verschrauben. Danach ist es möglich, die Tischplatte bündig auf das Untergestell zu

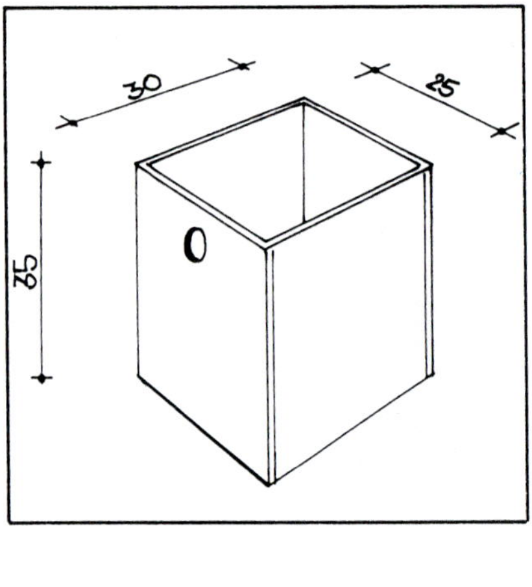

Die Eckverbindungen werden stumpf unter Zugabe von Leim verschraubt. Hier ist es gerade das Tischgestell, das später in das Regal geschoben wird. Es empfiehlt sich, die Schrauben gut zu versenken und die Vertiefungen anschließend zu verspachteln. Damit sind die Voraussetzungen für eine gute Oberflächenbehandlung erfüllt.

setzen und die notwendigen acht Bohrlöcher in den Leisten anzubringen, mit deren Hilfe die Tischplatte später höhenverstellbar ist. Die Bohrlöcher werden auf den Hartholzleisten angezeichnet und sollen durch die Leisten und die Seitenteile des Tischuntergestells gehen. Auf diese Weise entstehen paßgenau übereinstimmende Bohrlöcher, in die sich Schlüsselschrauben oder Schrauben mit Hutmuttern einsetzen lassen – acht Schrauben werden benötigt –, so daß die Tischplatte dem jeweiligen Höhenbedarf angepaßt werden kann. Dazu ist es erforderlich, die Tischplatte zunächst wieder abzunehmen und in der Hartholzleiste weitere Bohrlöcher jeweils im Abstand von 50 mm auszuführen. In den Seitenteilen des Tischuntergestells reichen jeweils zwei Bohrlöcher pro Hartholzleiste aus.

Auch der Zusammenbau der vier Kästen mit Hilfe von Holzleim und Nägeln macht keine Probleme, wobei zuvor jeweils eine Kastenseite mit einem Griffloch ausgestattet werden sollte. Dies ist mit Hilfe einer Lochsäge, die sich in das Bohrmaschinenfutter einspannen läßt, kein Problem.

Hat der Leim abgebunden, lassen sich alle Holzflächen lackieren. Der Acryllack wird auf allen Flächen zweimal mit langborstigen Kunststoffpinseln oder Lackwalzen aufgetragen. Dieser Werkstoff enthält kaum Lösemittel und keine giftigen Schwermetalle als Färbestoffe. Er liefert darüber hinaus speichelfeste Oberflächen, so daß er für Kindermöbel und Kinderspielzeug bevorzugt eingesetzt werden sollte.

Die praktischen und vielseitig verwendbaren Kästen werden ebenfalls ganz einfach mit stumpfen Eckverbindungen hergestellt. Sie finden unter dem Schreibtisch Platz und werden je nach Bedarf hervorgezogen. Das Loch an der Frontseite dient als Griff und wurde mit einem Forstnerbohrer in die Platte gearbeitet.

Letzte Feinarbeit vor dem Lackieren. Hier tritt der Schwingschleifer in Aktion, der muskelschonend für die notwendige Glätte der Oberfläche sorgt. Natürlich kann diese Arbeit auch mit Schleifklotz und Schleifpapier ausgeführt werden.

Der umweltfreundliche Lack wird mit einer Schaumstoffrolle aufgetragen und verläuft so gleichmäßig, daß man eine professionell gearbeitete Oberfläche vermuten wird. Wichtig: die jeweils richtige Lackmenge auf der Rolle. Man sollte die Abstreifvorrichtung ruhig benutzen, sie stellt eine bedeutende Arbeitserleichterung dar.

Und noch einmal Lackarbeiten, diesmal am Korpus des Schreibtischs. Es gelten auch hier die bereits in der vorhergehenden Bildunterschrift erwähnten Anregungen.

Hier ist das Regal, also die „Garage“ des Schreibtischs, in Arbeit. Auch dieses Regal wurde nach dem Prinzip der einfachsten Eckverbindungen zusammengebaut: guter Leim, stumpfe Verbindungen und Schrauben. Die eigentliche Stabilität und Winkelgenauigkeit erhält dieses Teilmöbel durch seine Rückwand, die also gleichsam eine Art Rückgrat für das Regal bildet.

Bequem ans Bett geschoben

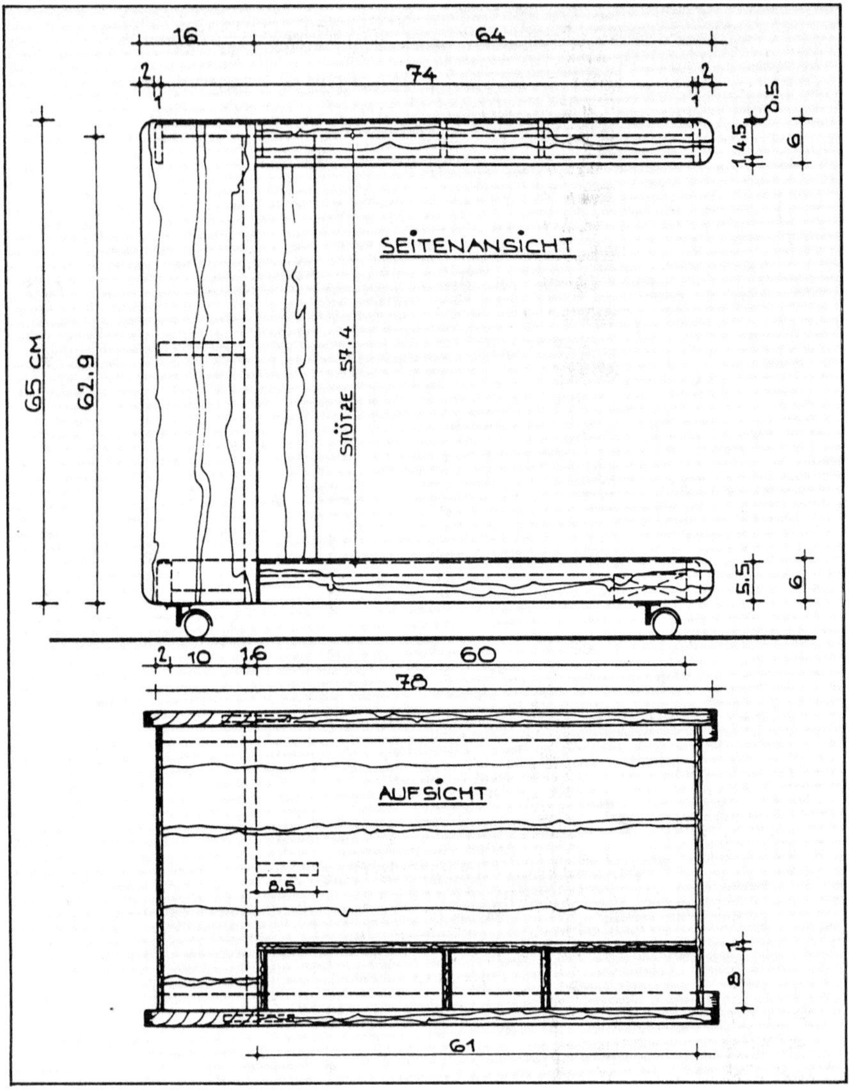

Wenn Kinder krank sind und im Bett liegen müssen, fällt ihnen der Verzicht aufs Spielen, Malen und Basteln besonders schwer. Was in dieser Situation fehlt, ist ein stabiler fahrbarer Tisch, der genug Platz zum Spielen mit Autos, Puppen oder zum Malen bietet.

Ein solches Möbel, das über eine große Tischplatte verfügt, die sich mühelos übers Bett schieben läßt, kann man ohne allzu große Schwierigkeiten selbst bauen. Mit den beiden senkrechten Seitenteilen wird der Nachbau begonnen. An den oberen Enden bohrt man dann mit einer Bohrmaschine die Lö-

cher für die Holzdübel vor, um die seitlichen Ausleger mit den senkrechten Teilen zu verbinden. Zusätzlich zu den Holzdübeln – sie müssen mindestens acht Zentimeter lang sein, um hier eine robuste Verbindung zu schaffen – sollte noch Weißleim eingesetzt werden. Wenn der Holzleim trocken ist, kann man damit beginnen, die Leimfuge sowie sämtliche Kanten glattzuschleifen oder abzurunden.

Die beiden unteren Ausleger tragen das gesamte Gewicht des Spieltischs. Hier reicht eine Verbindung mit Dübeln nicht aus, so daß zusätzlich zum Weißleim noch geschraubt werden muß. Die beiden Seitenteile sind jetzt so weit hergestellt, daß man beginnen kann, in die große Spielplatte eine 9 × 61 cm große Aussparung einzuschneiden, denn an dieser Stelle sollen mit Kiefernholz-Brettchen drei Ablagefächer für Stifte und ähnliches entstehen.

Man kann jetzt damit beginnen, die Einzelteile der oberen Tischplatte sowie die Umleimer auf einem Seitenteil zu fixieren. Am besten legt man dazu ein Seitenteil waagerecht auf einen Tisch. Auf diese Weise lassen sich die Einzelteile senkrecht aufsetzen. Die Spielplatte, mit dem Ausschnitt für die Ablagefächer nach oben, wird plan auf den seitlichen Ausleger aufgeleimt. Wichtig ist hier, daß rechts und links jeweils noch ein Umleimer eingesetzt wird, dessen Oberkante ebenfalls plan mit Tischplatte und Seitenteilen abschließen muß.

Eine 629 mm hohe und 400 mm breite Mittelwand, die dem rollbaren Spieltisch zusätzlich Stabilität verleiht, wird nun eingesetzt. Zuvor aber sollten an den Enden die Aussparungen der unteren Ausleger ausgeklinkt werden, damit sich dieses Brett paßgenau einsetzen läßt.

Es ist jetzt möglich, die Mittelwand mit Fachboden auf das senkrechte Seitenteil aufzuleimen, und zwar bündig mit der inneren senkrechten Kante eines Seitenteils. Von außen lassen sich noch Stifte einschlagen.

Als nächstes beginnt man damit, die Bodenplatten-Konstruktion anzufertigen. Dazu wird am besten zunächst zwei Zentimeter vom äußeren Ende der Ausleger quer eine 20 mm starke Leimholzleiste eingesetzt. Die 36 × 60 cm große Bodenplatte kann plan eingeleimt werden. Sie läßt sich durch die schon montierte Mittelwand und die Leimholzleiste hindurch verstiften. An der Unterkante der Mittelwand wird nun ein 10 × 36 cm großer Fachboden plan eingesetzt, der am äußeren Ende ebenfalls von einer 36 cm langen und 5,5 cm breiten Leimholzleiste begrenzt wird. Er wird zusätzlich zum Holzleim noch mit Nägeln fixiert.

Was nun an dem Spieltisch noch fehlt, sind zwei Holzklötze, an denen sich die beiden Rollen unter den Auslegern montieren lassen. Sie sind zirka 10 × 10 cm groß und 40 mm stark. Diese Klötze werden in den Winkel zwischen Bodenplatte und senkrechter Begrenzungsleiste eingeleimt. An ihnen lassen sich nun die 50 mm hohen Rollen anschrauben, während die übrigen beiden Rollen direkten Halt unter dem etwas tiefer liegenden Ablagefach finden.

Der Rolltisch ist jetzt bis auf eine senkrechte Stütze fertiggestellt. Sie läßt sich aus einem Verschnittstück anfertigen.

Der Tisch kann nun mit wasserhaltigem Siegellack klarlackiert werden. Wichtig ist hier, daß die Spanodur-Platten vor der Lackierung sorgfältig mit Tesakrepp abgeklebt werden, da sie keine Lackbeschichtung erhalten sollen.

In wenigen Arbeitsschritten läßt sich nun noch eine einfache, aber sehr bequeme Rückenstütze anfertigen, damit die Kinder im Bett eine aufrechte Sitzposition einnehmen können. Aus einer 45 × 34 cm großen Spanodur-Platte schneidet man dazu eine Rückenlehne beispielsweise in Form eines Marienkäfers aus. Diese Rückenlehne läßt sich mit starren oder klappbaren Stützen ausstatten. Für die starre Ausführung reichen zwei 30 × 30 cm große, 10 mm starke Spanodur-Platten aus, die zu ei-

Materialliste

Pos.	Anz.	Bezeichnung	Maße in mm	Material
1	2	senkr. Seiten	650 × 160	Leimholz 20 mm dick
2	2	obere Ausleger	640 × 60	
3	2	untere Ausleger	780 × 60	
4	2	untere Querstücke	360 × 55	
5	1	Tischplatte	740 × 400	Spanplatte 16 mm dick
6	1	untere Platte	600 × 360	
7	1	Facheinsatz	100 × 360	
8	1	Regalboden	120 × 400	
9	1	Mittelwand	629 × 400	
10	1	Stütze (Reststück v. Platten-Aussparung)	574 × 85	
11	2	ob. Plattenanleimer	400 lang	Kiefer 10 × 55 mm
12	1	seitl. Fachbegrenzung	610 lang	Kiefer 10 × 45 mm
13	3	Fachabteilungen	80 lang	
14	1	Fachboden	610 lang	Kiefer 10 × 90 mm
15	1	Rückstützen-Platte	450 × 340	Spanodur 10 mm dick
16	2	Stützen	300 × 300	
17	4	Verstärkungsleisten	300 lang	Fichte 20 × 20 mm
18	2	Holzklötze	100 × 100	Kiefer 40 mm dick

4 Laufrollen ca. 50 mm hoch; 2 Klavierbänder für die Rückstütze, 300 mm lang; Holzdübel; Weißleim; Siegellack; Seidenglanzlack.

Die Montage der Ausleger an die Seitenteile muß sehr exakt erfolgen. Die waagerechten werden mit den senkrechten Teilen verdübelt (Dübellänge mindestens 8 cm). Gut Leim angeben und bei den unteren Auslegern zusätzlich noch Schrauben setzen.

Der Ausschnitt für die Ablagefächer läßt sich sehr gut mit der Stichsäge herausarbeiten. Wer sich nicht sicher fühlt, den geraden Schnitt von immerhin 61 cm Länge frei Hand zu bewältigen, kann zur Kreissäge greifen oder die Stichsäge an einem Anschlag führen.

Das eigentliche Tischgestell wurde mit wasserhaltigem Siegellack behandelt. Auf dem Bild gut zu erkennen: Die Tischplatte und die Fußplatte sind vor dem Lackieren sorgfältig abgeklebt worden.

Ein Vorgriff auf die nächste Seite, denn hier wird der Marienkäfer, der als Rükkenstütze dienen soll, bereits lackiert. Der fertige Käfer erwartet Sie nach dem Umblättern.

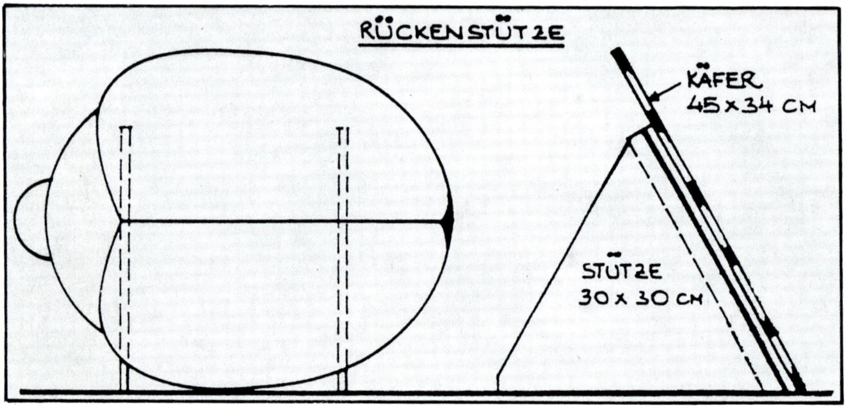

ner dreieckigen Form zugeschnitten werden.
Bei der klappbaren Variante benötigt man noch vier Verstärkungsleisten, die an die dreieckigen Stützen sowie die Rückseite des Käfers geleimt werden. Sie sind so anzubringen, daß die Stärke der verwendeten Klavierbänder nicht aufträgt.

Hier rollt der Würfel

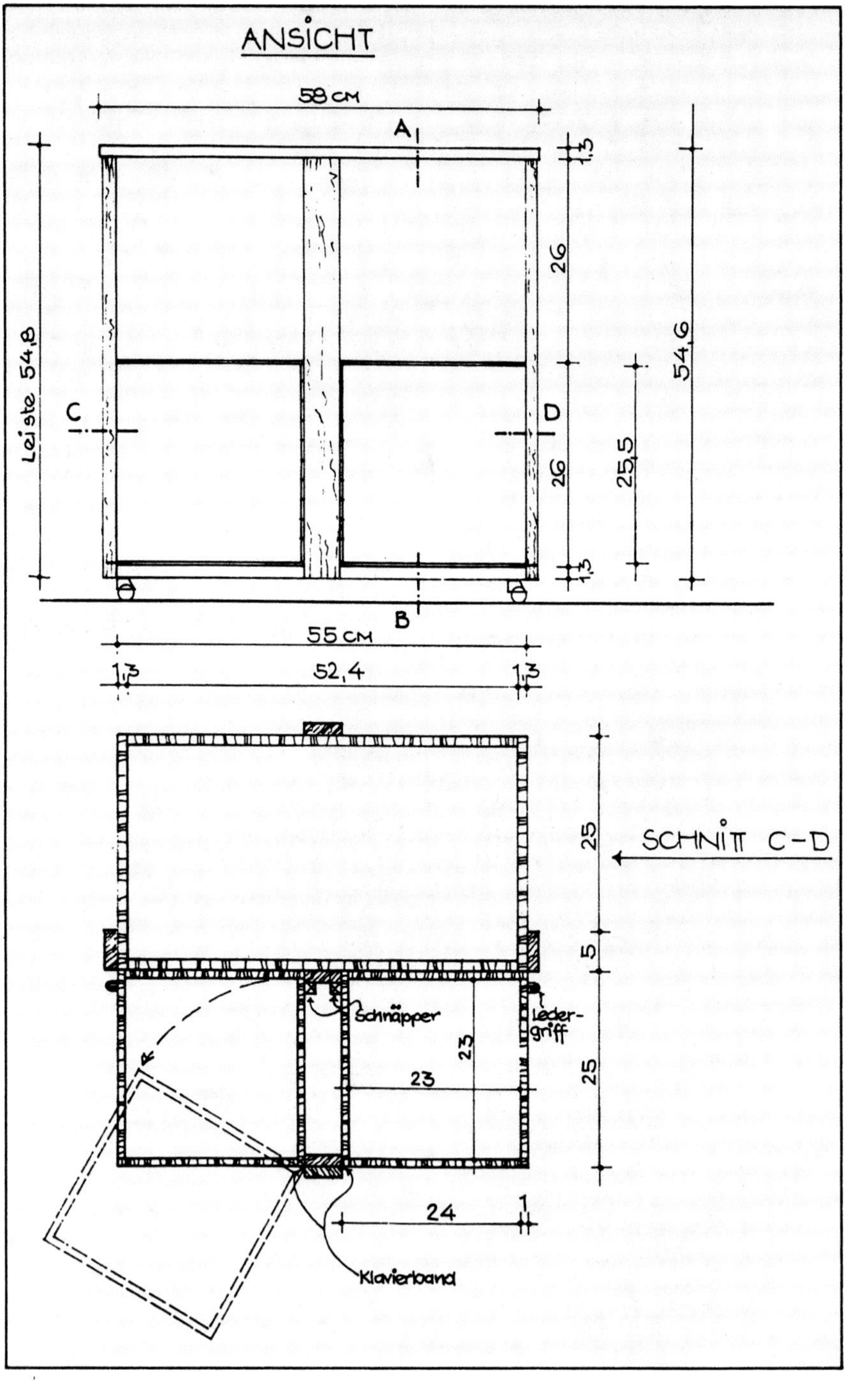
ANSICHT
58 CM
A
B
C
D
Leiste 54,8
1,3
26
26
1,3
25,5
54,6
55 CM
1,3
52,4
1,3
25
5
25
SCHNITT C-D
Schnäpper
Leder-
griff
23
23
24
1
Klavierband

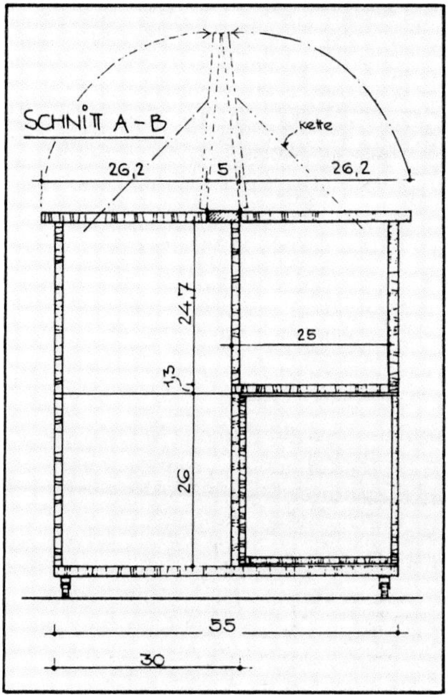

Vielseitig und praktisch ist der hier vorgestellte variable Würfel auf Rollen.

Die Montage beginnt mit dem Grundgestell. Für eine stabile Verbindung der Holzteile sorgen Schrauben unter Zugabe von Holz-Weißleim; statt der Schrauben lassen sich auch Nägel verwenden.

Danach ist es möglich, das waagerecht angeordnete obere Seitenteil anzubauen, das mit dem unteren Seitenteil verleimt und mit der Rückwand verschraubt wird.

Als nächstes werden genauso das gleich große, gegenüberliegende Seitenteil, die vordere obere Stirnplatte sowie der mittlere Boden montiert. Es fehlt jetzt noch die obere mittlere Trennwand, die ebenfalls eingesetzt, verleimt und verschraubt wird.

Soweit wäre der Rohbau fertig. Zum

Materialiste

Pos.	Anz.	Bezeichnung	Maße in mm	Material
1	1	Boden	550×550	
2	1	hohe Außenseite	524×520	
3	2	Seiten unten	300×260	
4	2	Seiten oben	550×260	Spanplatte o.
5	1	Seite oben vorn	524×260	Tischlerpl.
6	1	Mittelseite unten	524×260	13 mm dick
7	1	Mittelseite oben	524×247	
8	1	Mittelboden	524×250	
9	2	Klappen	580×262	
10	8	Kastenseiten	240×255	Sperrholz
11	4	Kastenböden	230×230	10 mm dick
12	4	Leisten senkrecht	548 lang	
13	1	Leiste quer	550 lang	Fichte
14	2	Leisten als Aufleimer	260 lang	50×20 mm

2 Stück Klavierband zu je 580 mm; 2 Stück Klavierband zu je 255 mm; 2 Magnetschnäpper; 4 Laufrollen; 2 Ketten oder Stoffstreifen, etwa 300 mm lang; 2 Lederstreifen als Kastengriff; umweltfreundlicher Lack; Weißleim; Holzschrauben; Nägel.

Anbringen der Klavierbänder, an denen die unteren Kästen schwenkbar befestigt werden, schneidet man mit der Kreissäge zwei 3 mm tiefe Falze in den vorderen Anleimer. Wer diese Möglichkeit nicht hat, sollte je Kasten zwei kurze Scharniere verwenden. Diese Leiste wird später mittig auf die Vorderleiste angesetzt. Sie dient als Verstärkung der langen, an der Vorderseite angeordneten Strebe. Eine gleich große Leiste wird an der unteren Mittelseite des Rohbaus befestigt. Hier lassen sich die Magnetschnäpper anbringen, welche die Kästen arretieren, wenn diese eingeschwenkt sind. Die übrigen drei senkrechten Streben werden an den weiteren drei Würfelseiten jeweils in der Mitte angeschraubt und verleimt.

Den oberen Abschluß des Würfels bildet eine Leiste, die man in die Mitte quer zwischen die beiden überstehenden Seitenleisten einpaßt und an diesen festschraubt. Hier werden auch die 580 mm langen Klavierbänder für die beiden oberen Klappen angebracht und mit diesen verbunden. Nun kann man mit umweltfreundlichem schnelltrocknendem Lack den Würfel farbig gestalten.

Die schwenkbaren Kästen werden mit schnell abbindendem Weißleim und gestauchten Nägeln zusammengebaut. Beide Klavierbänder können an die Kästen angeschraubt und in den vorgeschnittenen Falzen des vorderen Anleimers versenkt werden. Alle Ecken und Kanten sollten gut abgerundet werden. Damit die Klappen, wenn sie geöffnet werden, nicht umfallen, befestigt man an ihnen ca. 30 cm lange Ketten oder Stoffstreifen, die mit dem Würfel verbunden werden. Um die unteren Kästen leicht ausschwenken zu können, werden als Griffe noch zwei kleine Lederstreifen angeschraubt. Damit sich der Würfel leicht an den jeweils gewünschten Ort schieben läßt, müssen noch die vier Rollen am Boden montiert werden. Da der Würfel hohl ist, sollten dafür Rollen mit Platten verwendet werden.

Die Kästen werden, wie auch der gesamte Korpus, einfach stumpf verleimt und vernagelt. Wer die Eckverbindungen besonders stabil gestalten möchte, kann Schrauben zu Hilfe nehmen.

Beim Lackieren empfiehlt es sich, sehr sorgfältig zu arbeiten; das gilt vor allem für das Abkleben der Partien, die von der gerade aktuellen Farbe verschont bleiben sollen.

Möbel für alle Altersgruppen

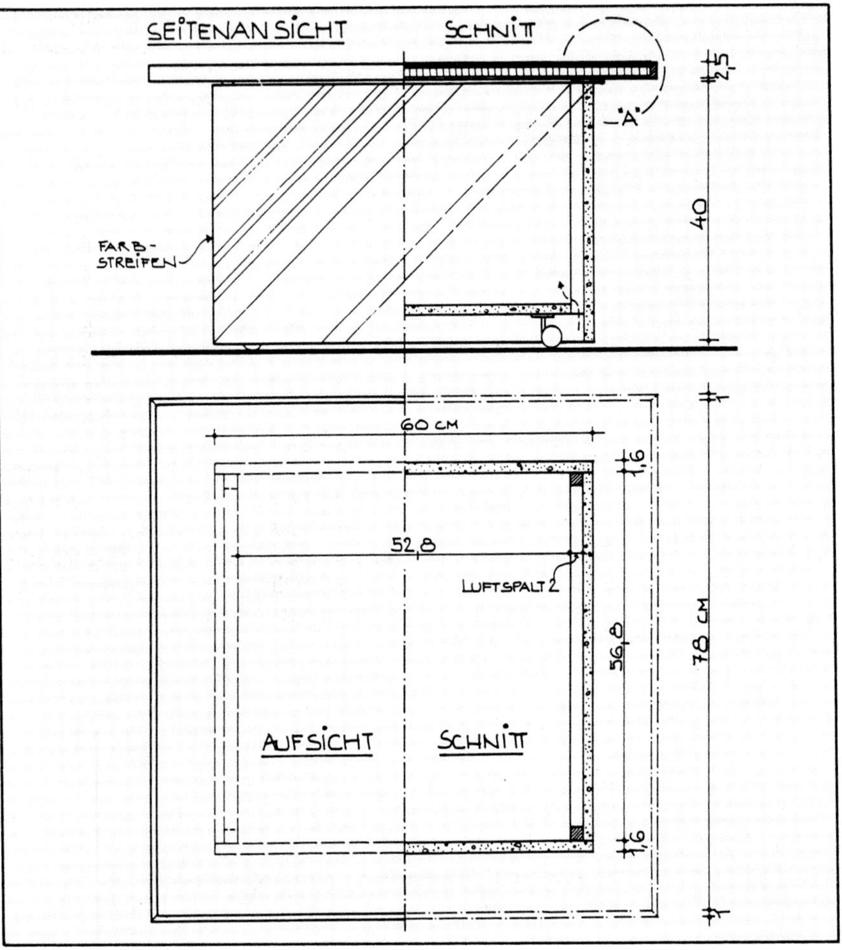

Natürlich gibt es immer wieder Möbel, die für alle Altersgruppen passen und sich oft nur durch entsprechende Farbgebung unterscheiden. Hier ist so ein vielseitig verwendbares Stück: der Kinder-, Couch- und/oder Beistelltisch, der sowohl bei Kindern als auch bei Jugendlichen und Erwachsenen Anklang findet.

Zum Bau des ideenreichen Beistelltisches werden die beiden Tischseitenteile im rechten Winkel auf der Rückseite angebracht. Mit Weißleim und Holzschrauben erhält man eine dauerhafte Verbindung der Holzteile. Bevor die Tisch-Vorderseite montiert wird, setzen wir zunächst den Boden ein. Der Tischboden wird aber nicht bündig unten angesetzt, sondern etwa drei Zentimeter höher eingepaßt, so daß die Möbelrollen später weitgehend verdeckt werden. Da das Bodenbrett nur 528 mm breit ist, erhält man so außerdem auch rechts und links jeweils zwei Zentimeter breite Lüftungsschlitze. Jetzt können wir die Vorderseite aufsetzen, die wiederum

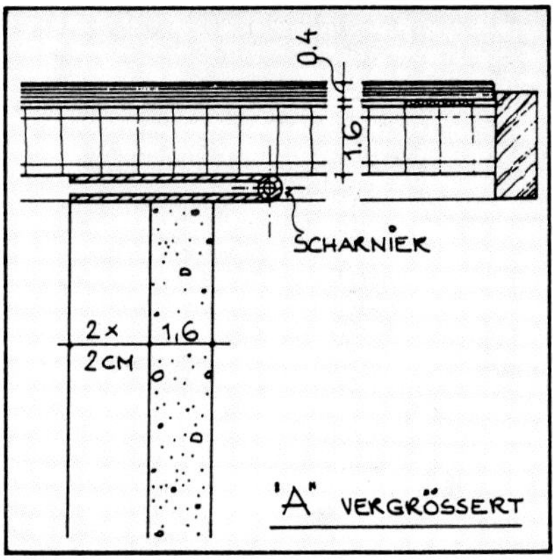

verleimt und verschraubt werden muß. Die Schraubenköpfe sowie sämtliche Schnittkanten der Spanplatten sollten verspachtelt werden.

Die Umleimer für die Tischplatte werden rechts und links auf Gehrung zugeschnitten, bevor sie um die Platte herum angeleimt werden. Jetzt kann schon lackiert werden. Zunächst sollten alle Holzteile mit umweltfreundlichem Holzgrund behandelt werden. Anschließend erfolgt die Lackierung – Abkleben nicht vergessen!

Wenn alle Lackflächen durchgetrocknet sind, kann die Tischplatte mit den Scharnieren am Kasten angebracht werden. Die Scharniere müssen dabei aber mit ihrem Drehpunkt etwa 12 mm vom Kastenrand überstehen, damit die geöffnete Tischplatte etwas nach hinten umklappen kann. Die Stärke der beiden Scharniere wird auf der gegenüberliegenden Kastenwand mit Kunststoff- oder Filzstreifen ausgeglichen. Damit die Tischplatte nicht nach hinten umfallen kann, muß man sie durch eine Kette mit dem Kasten verbinden. Jetzt muß nur noch der Spiegel mit doppelseitigem Spiegelklebeband auf der Tischplatte fixiert werden.

Materialliste

Pos.	Anz.	Bezeichnung	Maße in mm	Material
1	2	Tischseiten	600 × 400	Spanplatte 16 mm dick
2	2	Tischseiten	568 × 400	
3	1	Boden	568 × 528	
4	1	Tischplatte	780 × 780	Tischlerpl. 16 mm dick
5	4	Eckleisten	360 lang	Fichte 20 × 20 mm
6	4	Plattenumleimer	800 lang	Fichte 10 × 25 mm
7	1	Kristallspiegel	779 × 779	4 bis 5 mm stark mit geschl. Kanten

2 Scharniere, geöffnet 100 mm; 4 Möbelrollen, 40 mm hoch; 2 Kunststoff- oder Filzpuffer in Scharnierdicke; doppelseitiges Spiegelklebeband; 1 Kette, ca. 600 mm lang; Weißleim; Schrauben 3,5 × 40; Holzgrund; Lack; Sprühlack.

Das Verleimen des Korpus. Wie immer bei Leimarbeiten, muß jetzt flott gehandelt werden. Sobald die Teile maßgerecht aufeinanderliegen, werden sie miteinander verschraubt. Gut zu erkennen: die beiden Lüftungsschlitze an der Unterseite des Tischs.

Der Boden wurde so weit in den Korpus „versenkt“, daß die Rollen kaum mehr zu sehen sind. Für den Tisch genügt eine Bodenfreiheit von etwa 10 mm. Soll er als Kindermöbel dienen, fragt sich, ob man ihn überhaupt auf Rollen stellt.

Die Tischplatte bekommt Umleimer, die in den Ecken auf Gehrung geschnitten wurden. Die Umleimer stehen etwas über und bilden dadurch für den Spiegel eine umlaufende hölzerne Begrenzung.

Einer der letzten Handgriffe: Die Spiegelscheibe wird aufgebracht. Die doppelseitig klebenden Spezialstreifen halten das Glas nahezu unverrückbar fest, was bedeutet, daß die Scheibe sehr genau aufgelegt werden muß. Korrekturen sind nur noch schwer möglich.

Supertisch für kleine Leute

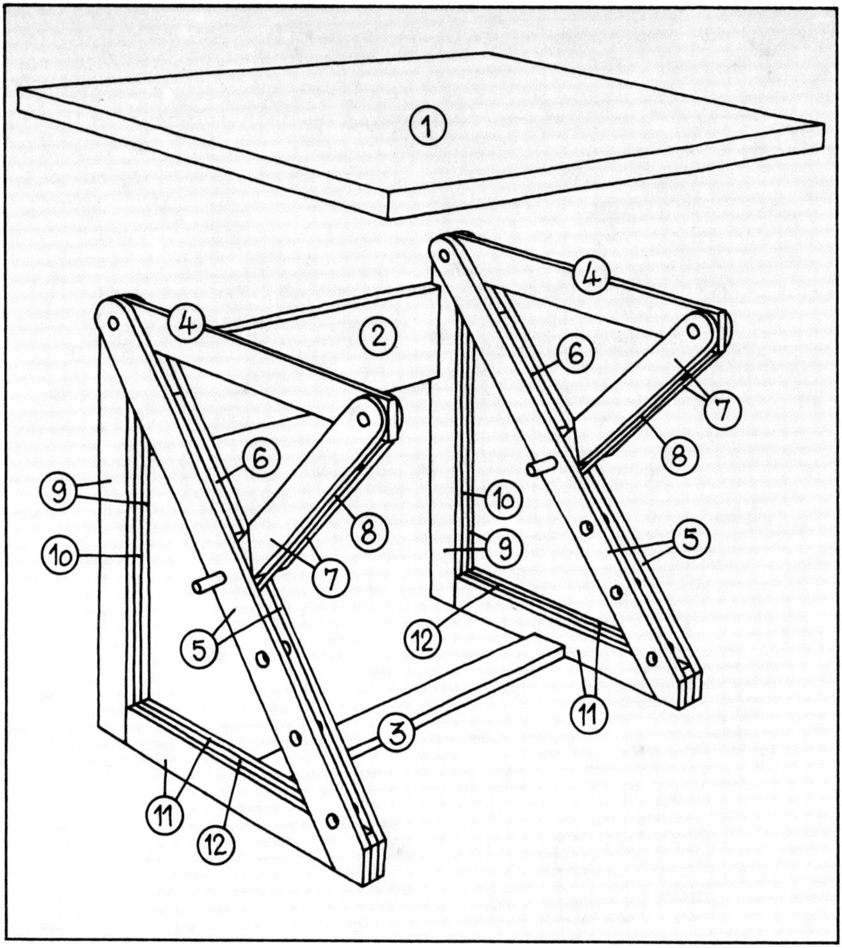

Eine tolle Sache: ein Schreibtisch für Kinder, der zum einen sehr stabil und äußerst standfest ist und sich zum andern den ergonomischen Bedürfnissen der Knirpse ideal anpaßt. Für kleine Kinder läßt sich die Tischplatte zum Malen um 10 bis 18 Grad neigen, wobei dann die vordere Tischkante auch an Höhe verliert. Wird das Kind größer, neigt man die Platte einfach etwas weniger – und das Möbelstück wird zum Schreibtisch.

Das Besondere an dieser ausgetüftelten Konstruktion: Die dreieckigen Konsolen sind in drei Holzlagen von je 60 × 20 mm aufgebaut. So lassen sich auf einfachste Weise großflächige „Zinkungen" erreichen. Das Holz wird stabiler und verwindungssteifer und – Insider wissen es längst – das Ganze ist bei weitem nicht so arbeitsaufwendig wie das Zinken. Außerdem neigen gewöhnliche Kanthölzer leicht dazu, sich zu verdrehen und zu reißen, besonders dann, wenn sie nicht ganz trocken sind. So hat man hier ganz einfach das Ange-

nehme mit dem Nützlichen verbunden.
Die Bolzen für die Gelenke und zum Feststellen sind gedrechselt; sie wurden dem Durchmesser der Lochsäge angepaßt. In die vier Gelenke unter der Tischplatte sind die Bolzen aus Stabilitätsgründen eingeleimt, wobei die Querstreben jedoch leimfrei bleiben müssen. Beim Verleimen muß man die Holzstücke bis zum Abtrocknen mit Zwingen pressen. Dabei sollten Sie, um das Holz zu schützen, Zulagen benutzen. Herausquellenden Leim sofort mit einem feuchten Lappen abwischen! Nach dem Zusammenbau erst alle Holzteile grundieren, dann spachteln und schleifen. Ein zweimaliger Lackauftrag mit Zwischenschliff macht die Sache dann perfekt. Unbedingt umweltfreundlichen, speichelfesten Lack verwenden! Wichtig: Vor jedem Schleifen muß der vorherige Farbauftrag völlig durchgetrocknet sein.

Materialliste

Pos.	Anz.	Bezeichnung	Maße in mm	Material
1	1	Tischplatte	1200 × 800	Leimholz 30 mm dick
2	1	Rückenbrett	900 × 200	Leimholz 20 mm dick
3	1	Fußstrebe	980 lang	Kiefer-Leimh. 60 × 20 mm
4	2	Querstreben	600 lang	
5	4	Diagonalstreben	930 lang *)	
6	2	Futterleisten	370 lang *)	
7	4	Stützstreben	420 lang *)	
8	2	Futterleisten	490 lang	
9	4	Stützen	690 lang *)	
10	2	Futterleisten	600 lang	
11	4	Bodenstreben	510 lang *)	
12	2	Futterleisten	600 lang	

6 Bolzen ∅ 26,8 mm (gedrechselt), 60 mm lang; Holzleim.
*) Rohmaße, bei Montage anpassen.

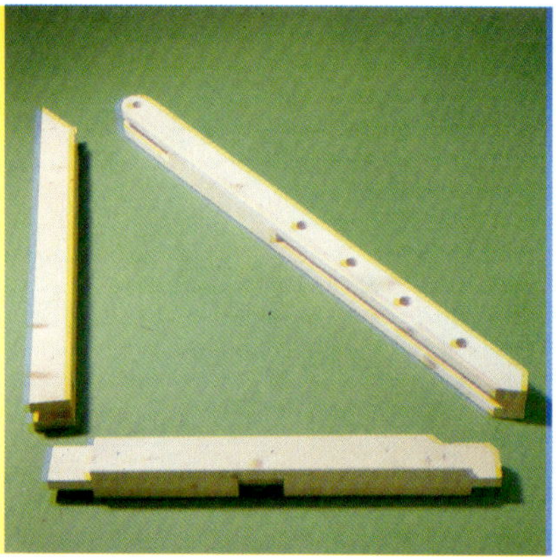

Hier die Einzelteile der „Schreibtischbeine“: Diagonalstreben (5), Stützen (9) und Bodenstreben (11) mit den jeweiligen Futterleisten.

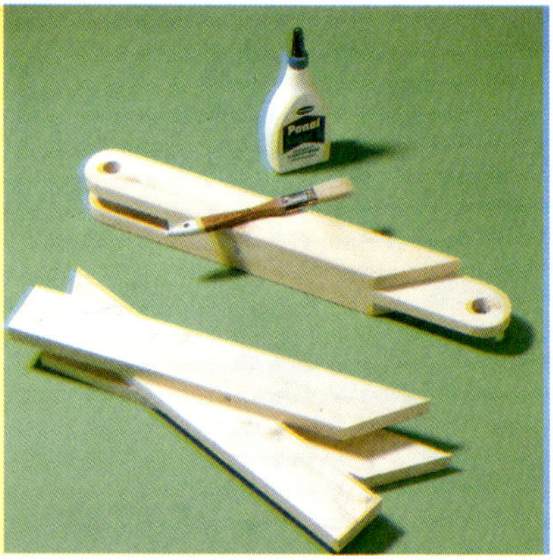

Alle Stützelemente sind aus drei Lagen aufgebaut. Die beweglichen Teile „laufen“ zwischen diesen Elementen. Die Eckverbindungen werden so regelrecht miteinander verzinkt.

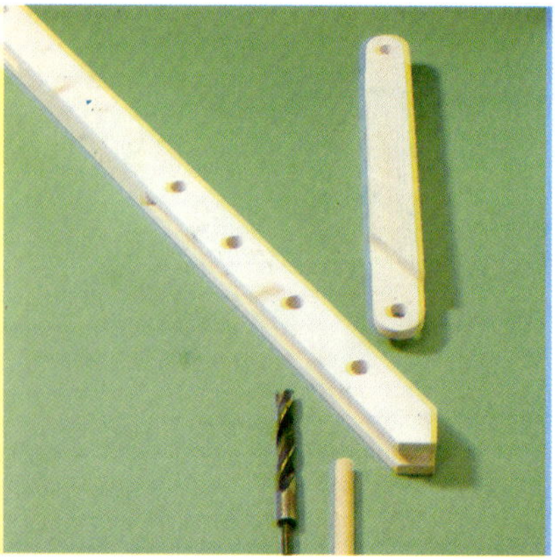

In die Diagonalstreben sind jeweils vier Löcher zur Neigungsverstellung gebohrt. Anstelle des Bohrers kann man ebenso gut mit der Lochsäge arbeiten. Wer keine Möglichkeit hat, die Bolzen zu drechseln, kann sich natürlich auch entsprechende Rundhölzer besorgen.

Bei der Montage wird das Rückenbrett des Schreibtischs mit drei Dübeln pro Seite mit den beiden Stützen verleimt. Dann bleiben nur noch die Lackarbeiten, die man unbedingt mit umweltverträglichen und kinderfreundlichen Farben ausführen sollte.

Stuhl und Schreibtisch
wachsen mit

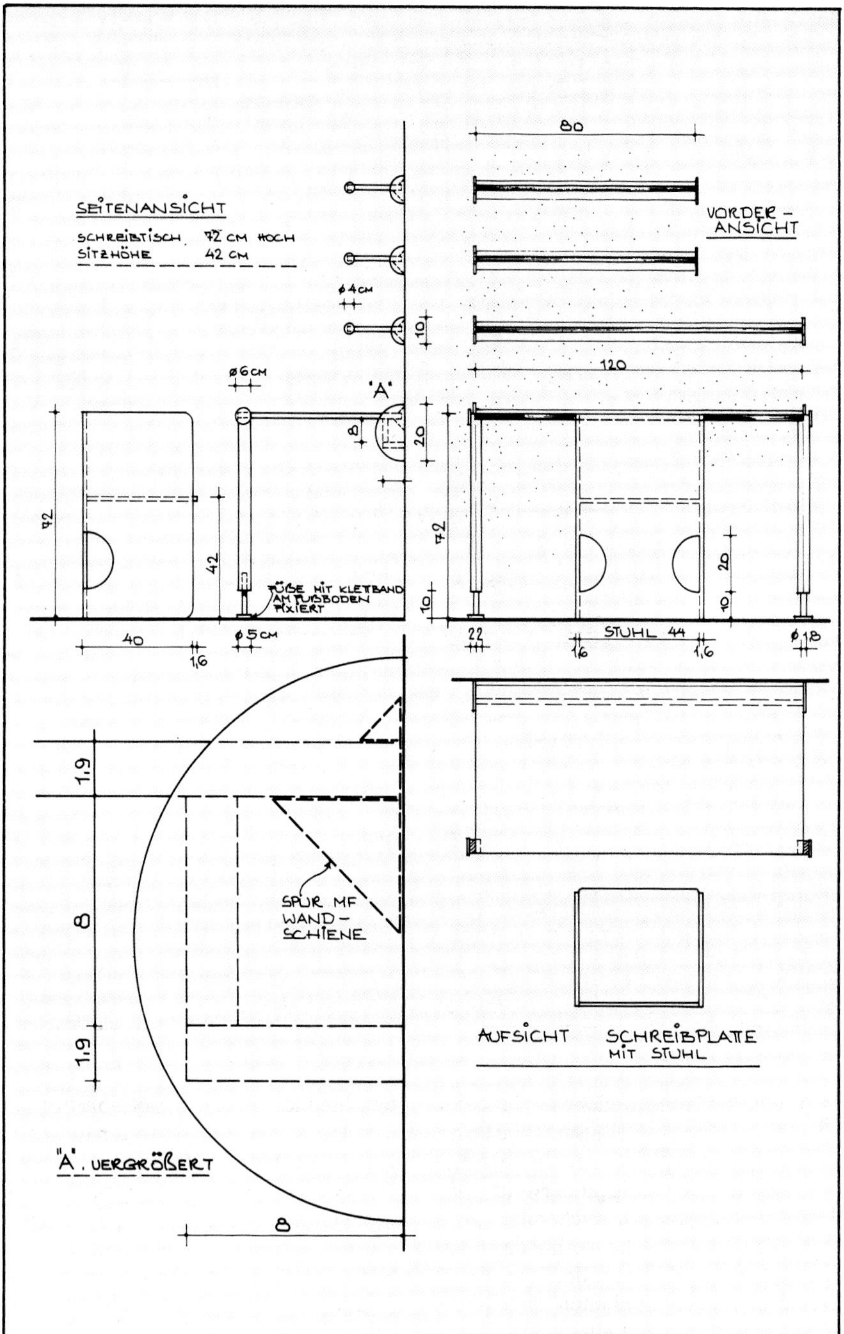
SEITENANSICHT
SCHREIBTISCH 72 CM HOCH
SITZHÖHE 42 CM
VORDER-ANSICHT
80
ø4CM
10
120
ø6CM
"A"
8
20
72
42
FÜßE MIT KLETTBAND AM FUßBODEN FIXIERT
ø5CM
40
1,6
72
20
10
10
22
STUHL 44
1,6
1,6
ø1,8
1,9
8
1,9
SPUR MF WAND-SCHIENE
"A". VERGRÖßERT
8
AUFSICHT SCHREIBPLATTE MIT STUHL

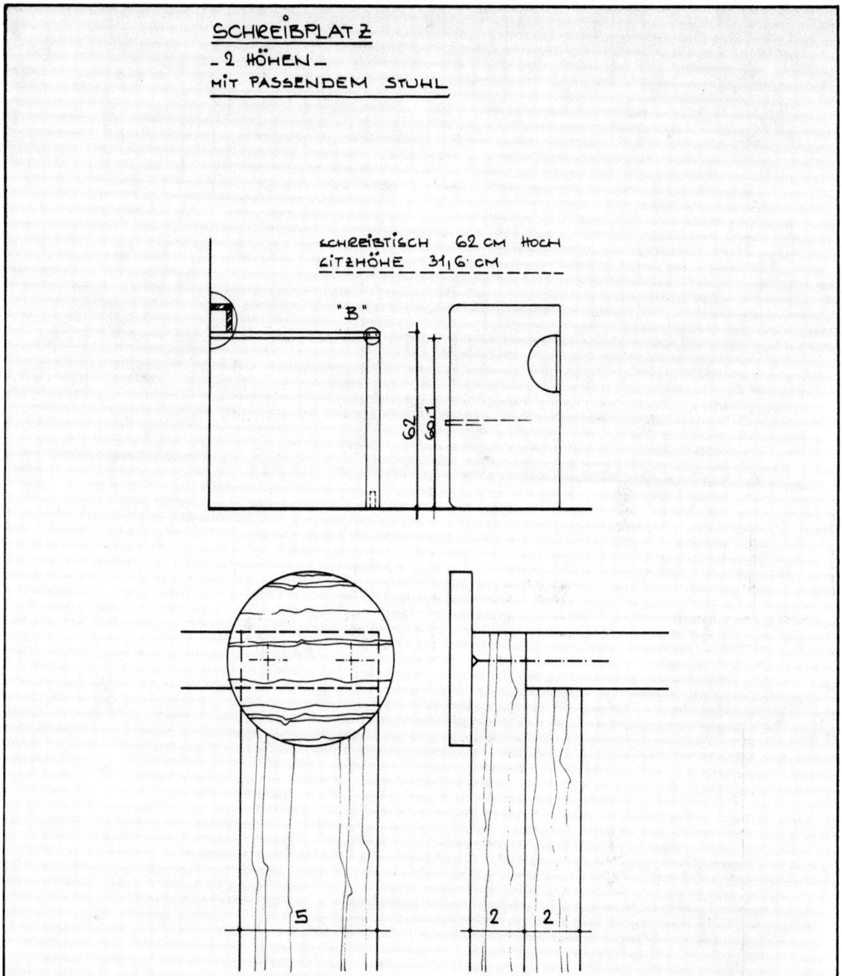

Beim Spielen, Malen sowie beim Schreiben der Hausaufgaben benötigen Kinder viel Platz. Der Wohnzimmertisch ist häufig anderweitig belegt, so daß eine ausreichende Spiel- und Schreibtischfläche vorhanden sein sollte. Deshalb bietet der hier zum Nachbau vorgestellte höhenverstellbare Schreibplatz nicht nur eine große Tischfläche, sondern hält auch durch die unterschiedlich großen Regalbretter an der Wand viel Stellfläche für nützliche Utensilien bereit.

Die Aufhängung der Tischplatte ist so geplant, daß sie sich mit Hilfe eines Winkels um zehn Zentimeter in der Höhe verstellen läßt. Beim Stuhl ist die Sitzfläche nicht mittig eingesetzt, weshalb sich hier zwei unterschiedliche Sitzhöhen ergeben. Noch bevor man damit beginnt, die Halbkreise aus den Stuhlseiten (720 × 400 mm) und der Stuhllehne (720 × 440 mm) auszuschneiden, werden auf alle Schnittkanten der Spanplatten Kunststoff-Umleimer aufgebügelt. Das erspart das Verspachteln und das nachfolgende Verschleifen.

Mit einem Zirkel oder einem Stift, der an einer Schnur befestigt wird, ist es möglich, die Schnittlinien der Halbkreise exakt zu markieren. Eine Stichsäge erleichtert das Ausschneiden der Rundungen. Die Einzelteile des Stuhls lassen sich mit Holzleim verbinden. Zusätzlich sollten aber noch Schrauben eingesetzt werden, um die Stabilität zu erhöhen.

Bei dem Schreibplatz werden die Aufhängung der Tischplatte sowie die Tischbeine etwas aufwendiger gearbeitet. Die Tischplatte ist an der hinteren Kante mit einem Winkel aus zwei 1200 × 80 mm großen Spanplatten versehen, der als Aufhängung dient. Wichtig ist, daß das waagerechte Brett (1200 × 80 mm) bündig mit der Tischplatte abschließt, so daß es als deren zweiter Auflagepunkt genutzt werden kann, wenn die Schreibplatte in der Höhe verstellt werden soll. Die Verbindungen zur Schreibplatte – die mit weißem Kunststoff beschichtet ist – sollten mit Lackleim geklebt werden. Vorsichtshalber arbeiten wir bei diesen Verbindungen noch mit Holzdübeln, da hier das meiste Gewicht aufliegt, wenn an dem Schreibplatz geschrieben, gebastelt oder gespielt wird.

Die Tischbeine, welche die Vorderkante der Schreibplatte abstützen, werden aus zwei 20 × 50 mm starken Massivholz-Latten gefertigt. Eine 720 mm lange und eine 701 mm lange Latte ergeben ein ausreichend starkes Tischbein, bei dem gleich noch eine 19 mm große Aussparung entstanden ist, in der später die Tischplatte aufliegt. Hier läßt sie sich auch mit den Tischbeinen verschrauben. Vergessen sollte man nicht, jetzt noch je ein sechs Zentimeter tiefes Loch mit einem Durchmessr von 18 mm in die Tischbeine zu bohren, damit hier später die Verlängerungen aus Rundhölzern eingeschoben werden können.

Aus acht Millimeter starkem Sperrholz schneidet man die halbrunden Scheiben aus, die seitlich an den Regalbrettern angebracht werden. Von den zehn Kreisen verwenden wir zwei Stück – mit dem Durchmesser von sechs Zentimetern – als Unterlage für die beiden Tischbeinverlängerungen. Die übrigen acht Scheiben können später an die vorderen seitlichen Ecken der Regalbretter geleimt werden. Die Halbkreise dienen gleichzeitig als Buchstützen.

Fast alle Einzelteile für den höhenverstellbaren Schreibplatz sind jetzt fertig, so daß man damit beginnen kann, die Deltac-Schienen mit den mitgelieferten Schrauben und Dübeln an der Wand anzubringen. Die Schiene, an der die Tischplatte eingeklinkt wird, ist für eine Höhe von 72 cm vorgesehen. Über ihr werden die ebenfalls 120 cm lange zweite Schiene sowie die beiden 80 cm langen Schienen montiert.

Die 19 mm starken Spanplatten werden mit einem umweltfreundlichen Grundiermittel gegen braunfärbende Holzinhaltstoffe isoliert. Danach folgt der Lackanstrich. Ist die Oberfläche trokken, klinkt man die einzelnen Regalbretter in die Deltac-Schienen ein. Die 19-mm-Schienen besitzen eine Tragfähigkeit von bis zu 75 Kilogramm pro Meter. Sie sind in vier verschiedenen Farben erhältlich. Bevor jetzt noch die halb- und kreisrunden Verzierungen an die Regalbretter und die Seitenblenden der Deltac-Schienen geleimt werden, lackieren wir sie der Einfachheit halber mit wasserhaltigem, lösemittelarmem Sprühlack.

Mit der Klebepistole werden die Verzierungen angeleimt. Es fehlen noch die Klettbänder, die unter die runden Holzscheiben (∅ 60 mm) geklebt werden. Sie verhindern ein Verrutschen der Tischbeine, da sie sich fest mit dem Teppichboden verbinden. Auch die 150 mm langen Rundstäbe, die in die vorgebohrten Löcher der Tischbeine eingeschoben werden können, müssen noch zugeschnitten werden. An ihnen lassen sich dann die mit den Klettbändern versehenen Holzscheiben anleimen.

Materialliste

Pos.	Anz.	Bezeichnung	Maße in mm	Material
1	2	Stuhlseiten	720 × 400	Spanplatte 19 mm dick
2	1	Stuhllehne	720 × 440	
3	1	Sitzfläche	400 × 440	
4	1	Schreibplatte	1200 × 600	Spanplatte kunststoffbeschichtet 19 mm dick
5	2	Schreibplattenanleimer	1200 × 80	Spanplatte 19 mm dick
6	1	Regalbrett	1200 × 200	
7	2	Regalbretter	800 × 200	
8	2	Rundstäbe als Tischbeinverlängerung	150 lang	∅ 18 mm
9	2	Tischbeine	720 lang	Massivholz 20 × 50 mm
10	2	Tischbeine	701 lang	
11	2	Halbkreise	Radius 100	Sperrholz 8 mm dick
12	2	Halbkreise	Radius 50	
13	6	Kreise	∅ 40	
14	2	Kreise	∅ 50	
15	2	Kreise	∅ 60	

2 „Deltac"-Schienen für 19 mm, 1200 mm lang in Rot; 2 „Deltac"-Schienen für 19 mm, 800 mm lang in Rot; 2 Quadrate Klettband (50 × 50 mm); Weißleim; Pattex-compact; Sprühlack; Holzgrund; Acryllack; tesakrepp.

Nach dem Zuschnitt und der Montage der Platte geht es an das Grundieren, das nicht nur die passende Unterlage für den Lack bildet, sondern auch verhindert, daß sich die Farben durch Stoffe verändern, die in der Platte enthalten sind.

Die Deltac-Schienen werden auf die Wand geschraubt. Hierbei heißt es genau anzeichnen und sauber arbeiten, damit die Regalbretter wirklich parallel und waagerecht an die Wand kommen.

Dadurch, daß die Tischbeine aus zwei Latten zusammengeleimt wurden, die in der Länge um 19 mm differierten, ist ein kleiner Falz entstanden, der nun die Tischplatte aufnimmt, die an dieser Stelle mit zwei Schrauben befestigt wird.

Die „Kleinteile" – gemeint sind die Halbkreise, die die Regalbretter begrenzen, die beiden runden Scheiben, die als Füße dienen, und die Verblendungen der Verbindungen Bein-Tischplatte – lackiert man am einfachsten mit der Sprühdose.